本試験型 '25年版

漢字検定 試験問題集

準2級

成美堂出版

目次

本文カット■酒井由香里

「準2級」試験問題・最新の傾向 ――*

受検者数と合格率

２０２３年度の漢字能力検定試験の志願者数は全体で約１４１万５千人になり、「準2級」は「3級」についで多い約19万6千人が受検しています。しかし、合格率は4割弱なので、合格できるのは受検者の5人に2人程度ということになります。ちょっとした油断や勉強不足が合否の分かれ目になりますから、しっかり準備しておくことが大切です。

最新のテスト傾向

平成29年改訂の小学校学習指導要領が２０２０年度から全面実施されたことに伴い、漢字検定でも一部の漢字の配当級が変更され、「潟」「佐」「崎」「滋」「縄」が準２級配当漢字から外れ、７級の配当漢字になりました。

また、「茨」「媛」「岡」「熊」「埼」「鹿」「栃」「奈」「梨」「阪」「阜」が２級配当漢字から７級配当漢字へ移動することとなり、準２級でも出題される可能性があります。しっかりと学習しておきましょう。

準2級の出題内容

一九五一字が出題範囲

準2級検定では、常用漢字のうち、一、九五一字から出題されます。小学校で習ういわゆる学習漢字（教育漢字ともいう）一、〇二六字と、中学校・高校で習う九二五字を合わせた漢字です。

「準2級配当漢字」が重要

常用漢字から特に準2級用に配当されている漢字が三二八字あります。これは高校で習う漢字で、非常に重要な漢字です（P102「準2級配当漢字表」参照）。以前は準2級と2級の配当漢字は同じでしたが、平成24年度の試験から、平成22年11月に新たに加わった常用漢字のうち*一九六字は2級配当漢字となり、準2級配当漢字は独立することとなりました。

＊2020年度より、一部の漢字が7級配当漢字となったため、一八五字となっています。

出題範囲の漢字すべてが「読み」と「書き」の領域で出題されます。

読み	常用漢字のうち、一、九五一字。ただし、高校で習う読みを除く。
書き	上記と同じ。

読み・書き・故事

準2級の出題領域は「読み」「書き」「部首」の三つに分類できます。

読み　「読み」では、「準2級配当漢字」の読みの問題が中心になります。また、常用漢字付表の熟字訓・当て字や、学習漢字で中学校・高校で習う読みも「読み」によく出題されます（P111「準2級に出る熟字訓・当て字」、P112「学習漢字で中学校で習う読み」参照）。

書き　「書き」でも、「準2級配当漢字」を書かせる問題が出ます。ただし、以前の試験では、答えはほとんど3級以下の漢字でしたが、新しい審査基準が適用される平成24年度からの試験では、準2級配当漢字を書かせる問題が3～4割程度出題されています。

筆順と画数の問題は出ません。

部首　令和4年度に実施された試験では、半数以上が「準2級配当漢字」からの出題で、あとは3級以下の漢字の部首を問う問題となっています（P115「『部首』で出題される下級の漢字」参照）。部首名を問う出題はありません。

出題内容と領域

準2級検定の出題内容と領域との関係は次のようになります。

●短文中の漢字の読み	読み
●部首	部首
●熟語の構成	読み
●四字熟語	読み・書き
●対義語・類義語	読み・書き
●同音・同訓異字	読み・書き
●誤字訂正	読み・書き
●漢字と送りがな	読み・書き
●短文中の書き取り	書き

表の下段の「読み・書き」とは、領域としては「読み」も「書き」も含まれるという意味です。例えば、問題箇所の漢字が読めなくては答えが書けないというようなことです。

級別出題内容（一例）

「—」は出題されません
9・10級は省略

内容／級	短文中の漢字の読み	筆順・画数	漢字識別	部首・部首名	熟語の構成	漢字と送りがな	対義語・類義語	三・四字熟語	同音・同訓異字	誤字訂正	短文中の書き取り	漢字数
8級	短文中の漢字の読み	筆順・画数	—	同じ部首の漢字	—	送りがな	対義語	—	音訓判断	—	短文中の書き取り	四四〇字
7級			漢字えらび		—			二字熟語		—		六四二字
6級				部首・部首名	熟語の構成	漢字と送りがな	対義語 類義語	三字熟語	同音・同訓異字	—		八三五字
5級								四字の熟語		—		一、〇二六字
4級		—	漢字識別					四字熟語		誤字訂正		一、三三九字
3級		—		部首								一、六二三字
準2級	**短文中の漢字の読み**	**—**	**—**	**部首**	**熟語の構成**	**漢字と送りがな**	**対義語 類義語**	**四字熟語**	**同音・同訓異字**	**誤字訂正**	**短文中の書き取り**	**一、九五一字**
2級	短文中の漢字の読み	—	—	部首	熟語の構成	漢字と送りがな	対義語 類義語	四字熟語	同音・同訓異字	誤字訂正	短文中の書き取り	二、一三六字

準1級	読み	書き取り	熟字訓 当て字	熟語の読み 一字訓読み	国字	誤字訂正	同音・同訓異字	四字熟語	対義語 類義語	故事 ことわざ	文章題（書き・読み）	約三、〇〇〇字
1級												約六、〇〇〇字

本書は出題が予想される形式で構成しています。実際の試験は、日本漢字能力検定協会の審査基準の変更の有無にかかわらず、出題形式や問題数が変更されることもあります。

準2級の採点基準

筆画をていねいに

漢字検定では、漢字の一画一画に採点の目が光ります。そのため、とめるところ、離すところ、続けるところなどにも意識して、一画一画ていねいに書かなくてはいけません。略字は問題外で、必要な点が抜けていたり、不要な点がついていたりすると不正解ですから、十分注意しましょう。

教科書体が基準

字体としては、小学校の教科書に使用されている文字の字体が採点の基準になっています。この字体は教科書体といい、本書のテストと解答は教科書体を使用していますので、参考にしてください。

常用漢字表外はバツ

準2級検定では、常用漢字表にない漢字や読みはバツになります。例えば、「動きマワル」の「マワル」は、漢字で「回る」と書くのが正解で、「廻る」と書くとバツになります。「回」は常用漢字ですが、「廻」は常用漢字ではないからです。また、「目で見る」を「眼で観る」と書くと、これもバツです。「眼」も「観」も常用漢字ですが、「眼《め》」「観《み》る」と読むのは、常用漢字表にない読みだからです。

準2級検定では、常用漢字の旧字体も正答とは認められません。

旧字体はバツ

收×（収）　實×（実）　眞×（真）

數×（数）　壯×（壮）　龍×（竜）

その他の採点基準

その他の採点基準を簡単にまとめておきます。

送りがな　「送りがな」は、昭和48年6月18日内閣告示の「送り仮名の付け方」が基準になっています。

筆順　筆順は、「筆順指導の手引」が基準になっていますが、準2級検定では筆順の問題は出ません。

部首　部首は、参考書によって多少異なりますが、「漢検要覧2〜10級対応 改訂版」（日本漢字能力検定協会発行）で示しているものを正解としています。

合格ライン　漢字検定は二〇〇点満点で、準2級では正解率七〇パーセント前後が合格の目安となっています。一四〇点前後取れば合格です。

答案用紙　本試験では、問題用紙とは別紙の答案用紙に答えを書きます。P100の「コピーして使える答案用紙」を利用してください。

準2級の実施要項

受検資格に制限なし

受検資格　小学校、中学校、高等学校、専門学校などの児童、生徒から大学生、社会人まで、だれでも受検できます。

申込方法　個人で受検する場合は日本漢字能力検定協会のホームページから申し込みを行います。

受検方法　個人受検には①「公開会場」での受検、②「漢検CBT」、③「漢検オンライン（個人受検）」の三種類があります。以降では①「公開会場」での受検を説明します。

検定料　検定料は変わることがあるので、漢字検定の広告や問合せ先のホームページなどで確かめてください。

申込期間　検定日の約二か月前から約一か月前まで。

申込後の変更　申込締切日までは、「マイページ」上で「住所」、「電話番号」、「受検地」の変更および、「検定料が同じ級」への変更、申込キャンセルが可能です。「検定料が異なる級」への変更は、元の受検級のキャンセル後に再申し込みが必要です。

全国で定期的に実施

検定日　定期的に実施しています。検定協会に問い合わせてください。

検定会場　全国主要都市。申込時に選択できる受検地から自分の希望する場所を選択します。

検定時間　六〇分。開始時間の異なる級を選べば、二つ以上の級を受検することができます。

合否の発表　検定日から所定の日数後、合格者には合格証書、合格証明書、検定結果通知などが、不合格者には検定結果通知が郵送されます。

問合せ先　公益財団法人日本漢字能力検定協会（本部：〒605－0074京都市東山区祇園町南側551番地）ホームページにある「よくある質問」を読んで該当する質問がみつからなければメールフォームでお問合せください。電話でのお問合せ窓口は〇一二〇－五〇九－三一五（無料）です。

検定日の注意事項

❶受検票を忘れず持参しましょう。受検中、受検票をつくえの上におかなくてはなりません。

❷検定会場へ自動車やバイクで行くのを禁止している会場が多いので事前に確認しましょう。

❸HBかBの鉛筆、または濃いシャープペンシルを持参しましょう。鉛筆は二本、また鉛筆がけずれる簡単なものを用意しておくと安心です。そして、消しゴムも。ボールペン、万年筆などの使用は認められません。

❹検定開始の一五分前に検定会場に入りますので、遅れないようにしましょう。

❺検定中は携帯電話の電源を必ずオフにしておきます。

❻検定が終わると、後日全員に標準解答が郵送されます。自分が書いた答えを覚えているうちに自己採点をしましょう。

❼検定が終わっても受検票は捨てないで、合否通知が届くまで大切に保存しましょう。

※ 本書の情報は2024年10月現在のものです。

（テストに入る前に）

① テストに取りかかる前に、P.102からの「チカラがつく資料」に目を通されることをおすすめします。

② 解答は筆画を正しく、明確に書きましょう。

③ 解答時間を守りましょう。

④ 最後の第15回までやりとげましょう。

⑤ 自己採点は厳格に行いましょう（別冊の解答と照合する）。

⑥ 間違えたところは二度と間違えないように心がけましょう。

テスト&資料《チカラがつく》

答えに、常用漢字の旧字体や常用漢字以外の漢字および常用漢字表にない読みを使ってはいけません。

テストの構成

(一) 読み
(二) 部首
(三) 熟語の構成
(四) 四字熟語
(五) 対義語・類義語
(六) 同音・同訓異字
(七) 誤字訂正
(八) 漢字と送りがな
(九) 書き取り

本試験型　準2級

第1回★テスト

〈60分〉

合計点

200点満点の　　点

- 140点以上 合格
- 110点以上 もう一度学習を
- 80点以上 猛勉強が必要
- 79点以下 受検級を考え直しましょう

1×30　　/30

(一) 次の——線の**漢字の読み**を**ひらがな**で記せ。

1 友人は寡黙だが信頼出来る人物だ。（　）
2 ボートが桟橋に着いた。（　）
3 首相官邸で会見が行われた。（　）
4 伴侶《りょ》と別れ索漠たる人生を送る。（　）
5 相手の申し出を拒絶する。（　）
6 江戸時代の庶民の文化を調べる。（　）
7 公僕としての義務を果たす。（　）
8 失敗して自己嫌悪を覚える。（　）
9 学生寮から学校に通っている。（　）
10 哀愁を帯びた横顔にひかれる。（　）
11 この方法が唯一の解決策だ。（　）
12 拷問にかけて自白をせまる。（　）
13 利用者に図書の返却を督促する。（　）
14 液体が沸点に達した。（　）
15 高校生が救助活動で表彰される。（　）
16 きびしく租税を取り立てる。（　）
17 国家安泰を祈って神社に参る。（　）
18 予鈴が鳴ったら着席しよう。（　）
19 恩師逝去の報に接し衝撃を受けた。（　）
20 棺をおおいて事定まる。（　）
21 冷たい水でのどの渇きをいやす。（　）
22 上司の顔に泥を塗るような行為だ。（　）

23 小正月に繭玉を飾る。（　）
24 竜巻で家屋が全壊した。（　）
25 先生が薦めてくれた本を読む。（　）
26 卵白を泡立ててメレンゲを作る。（　）
27 これ以上言葉を費やしてもむだだ。（　）
28 見栄えのよい盛り付けを考案する。（　）
29 後れ毛をかき上げる。（　）
30 夏は生ゴミが臭う。（　）

（二）

1×10　/10

次の漢字の**部首**を記せ。

〈例〉英［艹］　閉［門］

1 賓（　）
2 丙（　）
3 乏（　）
4 表（　）
5 奔（　）
6 督（　）
7 弊（　）
8 黙（　）
9 邸（　）
10 凹（　）

（三）

2×10　/20

熟語の構成のしかたには次のようなものがある。

ア 同じような意味の漢字を重ねたもの　**（破損）**
イ 反対または対応の意味を表す字を重ねたもの　**（増減）**
ウ 上の字が下の字を修飾しているもの　**（新人）**
エ 下の字が上の字の目的語・補語になっているもの　**（退場）**
オ 上の字が下の字の意味を打ち消しているもの　**（不吉）**

次の熟語は右の**ア〜オ**のどれにあたるか、**一つ**選び、**記号**を記せ。

1 洞穴（　）
2 上棟（　）

3 騰落（　　）

4 呈示（　　）

5 喪中（　　）

6 倒幕（　　）

7 凹凸（　　）

8 未遂（　　）

9 鉄瓶（　　）

10 謄写（　　）

問1 1/2×10
問2 2/2×5
／30

（四）次の**四字熟語**について、**問1**と**問2**に答えよ。

問1 後の□内のひらがなを**漢字**にして□に入れ、**四字熟語**を完成せよ。□内のひらがなは一度だけ使い、□内に**一字記入**せよ。

ア 衣冠 □1 帯

イ 栄 □2 盛衰

ウ □3 為転変

エ 隠忍自 □4

オ 青息 □5 息

カ 過 □6 防衛

キ 喜 □7 哀楽

ク 一 □8 打尽

ケ □9 気衝天

コ 快刀 □10 麻

い・う・こ・じょう・そく ちょう・と・ど・もう・らん

問2 次の11～15の**意味**にあてはまるものを**問1のア～コの四字熟語**から**一つ**選び、**記号**で答えよ。

11 人間が持つさまざまな感情のこと。（　　）

12 一度に悪人を全員捕えること。（　　）

13 こじれている物事をうまく処理すること。（　　）

14 苦しみに堪え行いを慎むこと。（　　）

15 公家の正装のこと。（　　）

2×10

/20

(五)

次の1～5の**対義語**、6～10の**類義語**を後の□の中から選び、**漢字**で記せ。□の中の語は一度だけ使うこと。

対義語

1 寛容（　　）
2 細目（　　）
3 野卑（　　）
4 漠然（　　）
5 遵守（　　）

類義語

6 適宜（　　）
7 回想（　　）
8 緒論（　　）
9 次第（　　）
10 清廉（　　）

いはん・けっぱく・げんかく・こうが
じゅんじょ・じょぶん・ずいい
たいこう・ついおく・れきぜん

2×10

/20

(六)

次の――線の**カタカナ**を**漢字**に直せ。

1 変死体の司法解**ボウ**を行う。（　　）
2 綿麻混**ボウ**の上着を着る。（　　）

3 友人に不**ユ**快な思いをさせる。（　　）
4 小学校教**ユ**の免許を取得する。（　　）

5 事務所の消**モウ**品を補充する。（　　）
6 **モウ**導犬の数が不足している。（　　）

7 今日、見本を**ユウ**送する。（　　）
8 **ユウ**揚迫らぬ態度で事を処理する。（　　）

9 活字に**ウ**えて本を濫読する。（　　）
10 工程の一部を下**ウ**けに出す。（　　）

2×5

/10

(七)

次の各文にまちがって使われている**同じ読みの漢字が一字**ある。（ ）内の**上に誤字**を、**下に正しい漢字**を記せ。

1 五月の大型連休に友人の家族と一緒に潮干刈りに出掛け大変楽しかった。（ ・ ）

2 先代から引き就いで五年になる乾物の卸問屋業がようやく軌道に乗ってきた。（ ・ ）

3 露文和訳の科学書に図入りの分かりやすい親切な注尺を諸所に付け加えた。（ ・ ）

4 人の資質が長短相補い調和がとれているのは、正に天の配財というべきである。（ ・ ）

5 我が国の外務大臣が訪問先の外国で行った演説の要思が夕刊に大きく掲載された。（ ・ ）

2×5

/10

(八)

次の——線の**カタカナ**を**漢字一字と送りがな（ひらがな）**に直せ。

〈例〉空が**ハレル**。 晴れる

1 入試の準備に全力を**カタムケル**。（ ）

2 **タガヤシ**た畑に種をまく。（ ）

3 大国に使者を**ツカワス**。（ ）

4 別室に**ヒカエ**て自分の出番を待つ。（ ）

5 **ツタナイ**手つきで料理をする。（ ）

2×25

/50

(九)

次の――線の**カタカナ**を**漢字**に直せ。

1 銀行に新事業への**ユウシ**を頼む。

2 **ドウリョウ**と打ち合わせを行う。

3 **サキュウ**の風紋が美しかった。

4 色刷りの豪華な動物**ズカン**を買う。

5 図書館で郷土史を**エツラン**する。

6 **カクウ**の物語をフィクションという。

7 母は**カドウ**の家元に生まれた。

8 **コウカイ**先に立たず。

9 **スイミン**時間を惜しんで勉強する。

10 獅子《しし》**フンジン**の活躍をみせる。

11 **コフン**の発掘調査を行う。

12 本日の営業は**シュウリョウ**した。

13 部屋の**カタスミ**に荷物を置く。

14 製品の質を**ギンミ**する。

15 卒業式で国歌を**セイショウ**する。

16 つぶらなひとみが**カガヤ**いた。

17 大勢の見物人が**ツ**めかける。

18 社会福祉の向上を**サケ**ぶ。

19 勝手口の木戸が**ク**ちている。

20 望遠鏡で**ヨイ**の明星を観察する。

21 今日は絶好の行楽**ビヨリ**だ。

22 父の弟は私からみると**オジ**だ。

23 **スモウ**は日本の国技だ。

24 **ホタル**は水のきれいなところに生息する。

25 子供達を分け**ヘダ**てなく育てる。

本試験型

準2級

第2回★テスト

〈60分〉

合計点

200点満点の　　点

- 140点以上
  合格
- 110点以上
  もう一度学習を
- 80点以上
  猛勉強が必要
- 79点以下
  受検級を考え直しましょう

(一)

次の——線の漢字の読みをひらがなで記せ。

1×30　　/30

1 幼児の誘拐事件が相次ぐ。（　　）

2 ガンの撲滅に一生をささげる。（　　）

3 稚拙な文章は読む気がしない。（　　）

4 開会式で選手代表が宣誓を行う。（　　）

5 水道の蛇口をしっかり閉める。（　　）

6 料亭でもてなしを受けた。（　　）

7 会社の定款を改めた。（　　）

8 人倫にもとる行為を非難された。（　　）

9 享楽的な生活をおくる。（　　）

10 アルバイトの報酬を受け取った。（　　）

11 人が来たので内緒話をやめる。（　　）

12 カーブミラーは凸面鏡だ。（　　）

13 八百屋で夕食の献立を考える。（　　）

14 過疎の村の医師を志す。（　　）

15 明るい雰囲気のレストランだ。（　　）

16 球界きっての剛腕投手だ。（　　）

17 事故を起こした代償は高かった。（　　）

18 兄の態度に憤然として席を立った。（　　）

19 金魚鉢の水を取りかえる。（　　）

20 悠久の歴史に思いをはせる。（　　）

21 よい絵だとお褒めにあずかった。（　　）

22 通学中に落とした財布を捜して歩く。（　　）

23 必要且つ十分な準備をする。（　　）
24 同窓会の返事を出し渋る。（　　）
25 人質奪還に命を懸ける。（　　）
26 少ない収入で生活費を賄う。（　　）
27 今日は我が家の棟上式だ。（　　）
28 会合は和やかなうちに終わった。（　　）
29 前言を翻して賛成に回る。（　　）
30 「乙女の祈り」をピアノでひく。（　　）

1×10　/10

（二）

次の漢字の**部首**を記せ。

〈例〉英［艹］　閉［門］

1 報（　　）
2 奮（　　）
3 民（　　）
4 幽（　　）
5 摩（　　）
6 与（　　）
7 夢（　　）
8 竜（　　）
9 養（　　）
10 憂（　　）

2×10　/20

（三）

熟語の構成のしかたには次のようなものがある。

ア 同じような意味の漢字を重ねたもの　**（破損）**
イ 反対または対応の意味を表す字を重ねたもの　**（増減）**
ウ 上の字が下の字を修飾しているもの　**（新人）**
エ 下の字が上の字の目的語・補語になっているもの　**（退場）**
オ 上の字が下の字の意味を打ち消しているもの　**（不吉）**

次の熟語は右の**ア～オ**のどれにあたるか、**一つ**選び、**記号**を記せ。

1 虚実（　）
2 無恥（　）

3 俗臭（　　）
4 荒廃（　　）
5 硬軟（　　）
6 着任（　　）
7 財閥（　　）
8 媒介（　　）
9 点眼（　　）
10 症状（　　）

問1 1/2×10
問2 2/2×5
□ /30

(四) 次の**四字熟語**について、問1と問2に答えよ。

問1 後の□内のひらがなを**漢字**にして□に入れ、**四字熟語**を完成せよ。□内のひらがなは一度だけ使い、□内に**一字記入**せよ。

ア [1]田引水
イ 応急[2]置
ウ 頑[3]一徹
エ [4]憾千万
オ [5]厚篤実

カ 危機一[6]
キ 孤立無[7]
ク 器用[8]乏
ケ 疑心暗[9]
コ [10]牛充棟

い・えん・おん・が・かん き・こ・そ・ぱつ・びん

問2 次の11～15の**意味**にあてはまるものを問1の**ア～コの四字熟語**から**一つ**選び、**記号**で答えよ。

11 ひとりぼっちで他に頼るものがないこと。（　　）
12 自分に都合よく考えること。（　　）
13 優しく穏やかで情け深いこと。（　　）
14 蔵書がとても多いことのたとえ。（　　）
15 非常に危険な瀬戸際のこと。（　　）

2×10
/20

(五)

次の1～5の**対義語**、6～10の**類義語**を後の□の中から選び、**漢字**で記せ。□の中の語は一度だけ使うこと。

対義語

1 顕著（　　）
2 舶来（　　）
3 地味（　　）
4 騰貴（　　）
5 拘束（　　）

類義語

6 寡言（　　）
7 反感（　　）
8 折衝（　　）
9 功績（　　）
10 看過（　　）

いんび・げらく・こくさん・しゃくほう
だんぱん・てがら・てきい・はで
むくち・もくにん

2×10
/20

(六)

次の――線の**カタカナ**を**漢字**に直せ。

1 一刻の**ユウ**予も許されない。（　　）
2 交通事故の発生の**ユウ**因となる。（　　）
3 独身**リョウ**で五年間過ごした。（　　）
4 会社の同**リョウ**と一杯やる。（　　）
5 村民の半数が赤**リ**にかかった。（　　）
6 有能な官**リ**として勤めあげる。（　　）
7 婚**イン**届を今日提出した。（　　）
8 脚**イン**をふんで句末をそろえる。（　　）
9 耳を**ス**まして虫の声を聴く。（　　）
10 偽造防止にお札に**ス**かしを入れる。（　　）

2×5

/10

(七)

次の各文にまちがって使われている**同じ読みの漢字**が**一字**ある。（　）内の**上に誤字**を、**下に正しい漢字**を記せ。

1 お盆に行う法事の席で婚約者を祖父母ほか親類一同に招介することにした。（　・　）

2 再三映画化され今回も評価が高い邦画の原作は作者不祥の短編小説である。（　・　）

3 国境を冒して隣国の領土へ攻め入るという暴挙に出た国が世界の非難を浴びた。（　・　）

4 冬期は室内で暖房器具を使用すると空気が渇き過ぎるため加湿が必要だ。（　・　）

5 両者の説明には矛循があり、どちらかが事実を誤って認識しているに違いない。（　・　）

2×5

/10

(八)

次の――線の**カタカナ**を**漢字一字と送りがな（ひらがな）**に直せ。

〈例〉空が**ハレル**。　晴れる

1 明朝早くに**ウカガイ**ます。（　　）

2 流星は**マタタク**間に過ぎ去った。（　　）

3 指にとげが深く**ササル**。（　　）

4 強敵相手に**アザヤカ**な勝利を収めた。（　　）

5 山荘から遠くの山を**ナガメル**。（　　）

2×25

/50

(九)　次の——線のカタカナを漢字に直せ。

1 停戦交渉は無事**ダケツ**された。
2 夏なので**カイキン**シャツを着る。
3 今場所**クッシ**の好取り組みだ。
4 社長**ケン**営業部長で忙しい。
5 大衆に**ゲイゴウ**した凡作だ。
6 子供達の**カンセイ**が聞こえる。
7 父と縁側で**ショウギ**を指す。
8 **イッショウビン**を持ち帰る。
9 **ケイリュウ**で釣りを楽しむ。
10 平和条約を**ヒジュン**する。
11 外交文書には**コクジ**が押される。
12 七九四年に平安京へ**セント**された。
13 **ムダ**な出費を減らそうと努力する。
14 隣国による内政**カンショウ**を拒絶する。
15 天皇陛下に**ハイエツ**する。
16 **ワズラ**わしい手続きを引き受ける。
17 天を**アオ**いで歯ぎしりする。
18 弱者の**カタ**を持つ傾向にある。
19 連日連夜会議は**ヨフ**けまで続いた。
20 しとしとと**サミダレ**が降る。
21 **オダ**やかな人生を過ごす。
22 **アヤ**しい行動を取る人物がいる。
23 秋になり**モミジ**が色づいた。
24 川沿いに**ヤナギ**の木が生えている。
25 階段で足を滑らせて**キモ**を冷やす。

本試験型

準2級 第3回★テスト

〈60分〉

合計点

200点満点の　　点

- 140点以上 合格
- 110点以上 もう一度学習を
- 80点以上 猛勉強が必要
- 79点以下 受検級を考え直しましょう

1×30　／30

(一) 次の――線の漢字の読みをひらがなで記せ。

1 利用者の批判に謙虚に耳を傾ける。（　　）
2 化学的に海水から塩を析出する。（　　）
3 この先に軍隊の駐屯地がある。（　　）
4 政商として強力な財閥を形成する。（　　）
5 会社の資金集めに奔走する。（　　）
6 敵を前後から挟撃する。（　　）
7 伝統芸能の後嗣が絶えてしまった。（　　）
8 寛容の心をもって人と接する。（　　）
9 元首相が自叙伝を出版した。（　　）
10 提案を受け先の意見を撤回する。（　　）
11 計画は早速暗礁に乗り上げた。（　　）
12 急逝した小説家をしのぶ。（　　）
13 毎月の費用の累計を出す。（　　）
14 戦争の残酷さを後世に伝える。（　　）
15 何体かの塑像がアトリエにある。（　　）
16 親友にだけは愚痴をこぼせる。（　　）
17 好天で洗濯物がよく乾く。（　　）
18 酒に酔って醜態をさらす。（　　）
19 母は死ぬまで貞節を守った。（　　）
20 都会の閑静な住宅地で暮らす。（　　）
21 升席で相撲を見物する。（　　）
22 秘密のはずの話が筒抜けだ。（　　）

23 炭鉱閉鎖で市は財政困難に陥った。（　　）

24 江戸時代の風俗を調べる。（　　）

25 麻の着物が夏らしい。（　　）

26 二人の間に著しい差はない。（　　）

27 教室の窓枠をきれいにふく。（　　）

28 忙しい時間を割いて会ってもらう。（　　）

29 弟には亡くなった兄の面影がある。（　　）

30 陽光に映える若葉が美しい。（　　）

（二）

1×10　／10

次の漢字の**部首**を記せ。

〈例〉英［艹］　閉［門］

1 褒（　　）

2 翼（　　）

3 裏（　　）

4 差（　　）

5 了（　　）

6 具（　　）

7 竜（　　）

8 崇（　　）

9 貞（　　）

10 吏（　　）

（三）

2×10　／20

熟語の構成のしかたには次のようなものがある。

ア 同じような意味の漢字を重ねたもの　（**破損**）

イ 反対または対応の意味を表す字を重ねたもの　（**増減**）

ウ 上の字が下の字を修飾しているもの　（**新人**）

エ 下の字が上の字の目的語・補語になっているもの　（**退場**）

オ 上の字が下の字の意味を打ち消しているもの　（**不吉**）

次の熟語は右の**ア～オ**のどれにあたるか、**一つ**選び、**記号**を記せ。

1 首尾（　）

2 来賓（　）

3 侮辱（　　）

4 罷業（　　）

5 頻繁（　　）

6 赴任（　　）

7 未熟（　　）

8 起伏（　　）

9 扶助（　　）

10 沸点（　　）

問1/2×10
問2/2×5
□ /30

(四)

次の**四字熟語**について、問1と問2に答えよ。

問1 後の□内のひらがなを**漢字**にして□に入れ、**四字熟語**を完成せよ。□内のひらがなは一度だけ使い、□内に**一字記入**せよ。

ア 夏炉冬□(1)

イ 一騎□(2)千

ウ 円□(3)滑脱

カ □(6)天動地

キ 換□(7)奪胎

ク □(8)忍不抜

エ 四分五□(4)

オ 軽□(5)妄動

ケ 巧□(9)拙速

コ 軽□(10)短小

きょ・きょう・けん・こつ・せん・ち・てん・とう・はく・れつ

問2 次の11〜15の**意味**にあてはまるものを問1の**ア〜コの四字熟語**から**一つ**選び、**記号**で答えよ。

11 役に立たないもののこと。（　　）

12 内容が少なく中身のないさま。（　　）

13 上手でおそいより、下手でもはやいほうがよいということ。（　　）

14 世間を仰天させること。（　　）

15 物事をそつなくとりしきること。（　　）

2×10

/20

(五)

次の1～5の**対義語**、6～10の**類義語**を後の□の中から選び、**漢字**で記せ。□の中の語は一度だけ使うこと。

対義語

1 吸収（　　）

2 栽培（　　）

3 暫時（　　）

4 快諾（　　）

5 蛇行（　　）

類義語

6 紛糾（　　）

7 処理（　　）

8 浄土（　　）

9 鼓舞（　　）

10 辛苦（　　）

げきれい・こうきゅう・こじ・こんらん
じせい・しまつ・ちょくしん・てんごく
なんぎ・はっさん

2×10

/20

(六)

次の——線の**カタカナ**を**漢字**に直せ。

1 自衛隊の一**イ**に昇進した。（　　）

2 休日を無**イ**に過ごす。（　　）

3 川**リュウ**を作るのが趣味だ。（　　）

4 火山ガスは**リュウ**化水素を含む。（　　）

5 政治家の汚職事件に**フン**慨する。（　　）

6 火口から**フン**煙が立ち上る。（　　）

7 誘**カイ**事件が起こった。（　　）

8 **カイ**古調の音楽がはやる。（　　）

9 **カ**に刺されたので薬を塗った。（　　）

10 壁に有名な画家の絵を**カ**ける。（　　）

2×5

／10

（七）

次の各文にまちがって使われている**同じ読みの漢字**が**一字**ある。（　）内の**上**に**誤字**を、**下に正しい漢字**を記せ。

1 酒に酔って前後不覚となり友人に迷惑をかけたためそれ以後は謹むようにしている。（　・　）

2 華道の名門の後目相続を巡る骨肉の争いがテレビや週刊誌の格好の材料にされた。（　・　）

3 北陸の活気に満ちた港町の市場で生選食品を大量に購入し宅配便で送った。（　・　）

4 歴史を覆すような考古学上の発見を前にして専門家の多くは驚胆の表情を浮かべた。（　・　）

5 農民たちは結束して領主に対し、強制的な貢ぎ物の軽減を直租した。（　・　）

2×5

／10

（八）

次の**――**線の**カタカナ**を**漢字一字と送りがな（ひらがな）**に直せ。

〈例〉空が**ハレル**。　晴れる

1 極端な思想に**ソマル**。（　）

2 試合の結果に**ウラミ**言を並べる。（　）

3 口は**ワザワイ**の元という。（　）

4 現実から目を**ソムケル**。（　）

5 他人の発言を**サエギル**。（　）

2 ×25

/50

(九) 次の――線のカタカナを漢字に直せ。

1 近隣の町村との**ガッペイ**協議を行う。（　　）
2 **ヨユウ**をもって旅行の計画を立てる。（　　）
3 **モンピ**が壊れたので修理する。（　　）
4 塁審の判定に**コウギ**する。（　　）
5 久しぶりの休日を**マンキツ**している。（　　）
6 **カイキョウ**に架かる橋を車で渡る。（　　）
7 **キンキュウ**事態が起きる。（　　）
8 ケガで大会出場を**キケン**する。（　　）
9 敵軍に敗れて**ホリョ**となった。（　　）
10 夏の甲子園で**ハシャ**となる。（　　）
11 謝罪と**バイショウ**を要求する。（　　）
12 兵士の**ユウカン**な行動をたたえる。（　　）
13 **カクマク**の移植を行う。（　　）
14 **サイセキ**機で大きな岩を小さくする。（　　）
15 行動を**チクイチ**報告する。（　　）
16 一度自宅に**モド**ってから出かける。（　　）
17 羊毛から糸を**ツム**ぐ。（　　）
18 指輪に手の**コ**んだ細工を施す。（　　）
19 夜道で行き**カ**う人もまばらだ。（　　）
20 難しい漢字に**カナ**をふる。（　　）
21 犬をつないでいた**クサリ**が切れた。（　　）
22 **スズ**しい風が吹き抜ける。（　　）
23 **モモ**の節句にひな人形を飾る。（　　）
24 遭難により**ウ**えと渇きに苦しむ。（　　）
25 暗やみに**ホノオ**が浮かび上がる。（　　）

本試験型

準2級

第4回★テスト

〈60分〉

合計点

200点満点の　　点

- 140点以上 合格
- 110点以上 もう一度学習を
- 80点以上 猛勉強が必要
- 79点以下 受検級を考え直しましょう

1×30　　/30

(一) 次の——線の漢字の読みをひらがなで記せ。

1 政治家の不正を弾劾する。（　　）
2 夏休みに弟と昆虫採集をした。（　　）
3 一汁一菜の食事を用意する。（　　）
4 十五歳未満の人口が逓減している。（　　）
5 ひとしきり懐旧の思いにふける。（　　）
6 拙劣な作品で恥ずかしい。（　　）
7 英文を抄訳する課題が出た。（　　）
8 表札の文字が摩滅してしまった。（　　）
9 顕著な例をいくつか挙げる。（　　）
10 春から大学の附属高校に通う。（　　）
11 余裕の笑顔をこちらに向けた。（　　）
12 台所に浄水器を設置した。（　　）
13 今にも降り出しそうな曇天だ。（　　）
14 すきをねらって本塁を突く。（　　）
15 悲壮な決意で戦場に向かう。（　　）
16 煩雑な手続きを簡略化する。（　　）
17 役所で戸籍謄本を取り寄せる。（　　）
18 戦力の逐次投入をしてはならない。（　　）
19 降服して恭順の意を示す。（　　）
20 昔は学校の成績を甲乙丙で表した。（　　）
21 母が大根を漬けている。（　　）
22 父親の葬儀で喪主を務める。（　　）

23 妹は肉を嫌って食べない。（　　）

24 鳥が木の洞に巣を作った。（　　）

25 教室の窓ガラスを磨く。（　　）

26 本の挿し絵に興味がわいた。（　　）

27 返事は今日中に承りたい。（　　）

28 この刀は名工の手による業物だ。（　　）

29 登山で負った傷が癒える。（　　）

30 春の宵のひとときは値千金という。（　　）

1×10　／10

（二）

次の漢字の**部首**を記せ。

〈例〉英［艹］　閉［門］

1 奥（　　）

2 亜（　　）

3 愛（　　）

4 衛（　　）

5 威（　　）

6 凹（　　）

7 喪（　　）

8 幹（　　）

9 哀（　　）

10 磨（　　）

2×10　／20

（三）

熟語の構成のしかたには次のようなものがある。

ア　同じような意味の漢字を重ねたもの　**（破損）**

イ　反対または対応の意味を表す字を重ねたもの　**（増減）**

ウ　上の字が下の字を修飾しているもの　**（新人）**

エ　下の字が上の字の目的語・補語になっているもの　**（退場）**

オ　上の字が下の字の意味を打ち消しているもの　**（不吉）**

次の熟語は右の**ア**～**オ**のどれにあたるか、**一つ**選び、**記号**を記せ。

1 公僕（　）

2 翻意（　）

3 出没（　）

4 悠長（　）

5 素朴（　）

6 未踏（　）

7 紡績（　）

8 明滅（　）

9 奔流（　）

10 喫煙（　）

問1 1/2×10
問2 2/2×5

□ /30

（四）

次の**四字熟語**について、**問1**と**問2**に答えよ。

問1 後の□内のひらがなを**漢字**にして□に入れ、**四字熟語**を完成せよ。□内のひらがなは一度だけ使い、□内に**一字記入**せよ。

ア □(1)愛無私

イ 呉□(2)同舟

ウ 威□(3)堂堂

エ 鶏口□(4)後

オ 気炎万□(5)

カ 佳人□(6)命

キ 現状□(7)持

ク 群□(8)割拠

ケ 空中楼□(9)

コ □(10)大妄想

い・えつ・かく・ぎゅう・けん・こ じょう・はく・ふう・ゆう

問2 次の11～15の**意味**にあてはまるものを**問1**の**ア～コの四字熟語**から**一つ**選び、**記号**で答えよ。

11 分け隔てなく人を愛すること。（　）

12 現在の状態がそのままであること。（　）

13 多くの実力者が対立しあうこと。（　）

14 美人は不幸になりがちであること。また、とかく短命であること。（　）

15 威厳があり立派であること。（　）

2×10 /20

(五)

次の1～5の**対義語**、6～10の**類義語**を後の□の中から選び、**漢字**で記せ。□の中の語は一度だけ使うこと。

対義語

1 削除（　　）
2 普遍（　　）
3 親切（　　）
4 来訪（　　）
5 卑下（　　）

類義語

6 窮地（　　）
7 上達（　　）
8 陰謀（　　）
9 肯定（　　）
10 驚倒（　　）

ぎょうてん・くきょう・こうじょう
さくりゃく・じきょ・じまん・ぜにん
てんか・れいがい・れいたん

2×10 /20

(六)

次の——線の**カタカナ**を**漢字**に直せ。

1 地**カク**変動の実態を調査する。（　　）
2 猫が毛を逆立てて威**カク**する。（　　）
3 父の一**カツ**で目が覚める。（　　）
4 管**カツ**する官庁へ問い合わせる。（　　）
5 かにの**カン**詰を手土産にする。（　　）
6 救急**カン**者の手術が優先された。（　　）
7 神事の前に潔**サイ**する。（　　）
8 劇団を主**サイ**して十年になる。（　　）
9 読むに**タ**えない作品だ。（　　）
10 旅客機が海上で消息を**タ**つ。（　　）

2×5　／10

（七）

次の各文にまちがって使われている**同じ読みの漢字**が**一字**ある。（　）内の**上に誤字**を、**下に正しい漢字**を記せ。

1 鮮やかな光択のある布地を購入して子供の上着と帽子を縫い上げた。（　・　）

2 世界陸上競技選手権大会の超躍競技で驚異的な記録が続出し関係者たちを喜ばせた。（　・　）

3 入学試験の面接時には属語や略語を使って答えてはいけないと指導された。（　・　）

4 生物学上の世界的な発見をした社員に会社は称賛と激励の意を込めて多額の金品を蔵与した。（　・　）

5 商売上の一件で窮地に追い込まれた叔父夫婦のために一肌抜ぐ決意を固める。（　・　）

2×5　／10

（八）

次の——線の**カタカナ**を**漢字一字と送りがな**（**ひらがな**）に直せ。

〈例〉空が**ハレル**。　晴れる

1 至らない点を**アヤマッ**た。（　）

2 給料日の前でふところが**サビシイ**。（　）

3 二十年続いた店を**タタム**。（　）

4 健康のために体を**キタエル**。（　）

5 会の代表者として友人を**ススメル**。（　）

2×25

/50

(九) 次の——線の**カタカナ**を**漢字**に直せ。

1 午後から**リンリ**の授業を受ける。（　）

2 開墾した土地の**ドジョウ**改良を行う。（　）

3 水鳥が**イッセイ**に飛び立った。（　）

4 戦場に**グンジュ**品を輸送する。（　）

5 生前、作者は**フグウ**な人生を送った。（　）

6 **キュウケイ**しようと腰を下ろす。（　）

7 実家のある町には**ゴラク**が少ない。（　）

8 理由もなく会社を**カイコ**される。（　）

9 我が社では**ハバツ**争いが絶えない。（　）

10 宮中で**コクヒン**をもてなす。（　）

11 **フウリン**は夏の風物詩だ。（　）

12 野球チームの**カントク**に就任した。（　）

13 **ヘイオン**無事な日々を過ごす。（　）

14 **スウコウ**な理想を掲げる。（　）

15 **フンイキ**の良い店で食事する。（　）

16 歴戦の**モサ**を相手に辛勝した。（　）

17 **ニセサツ**の流通を厳しく取り締まる。（　）

18 **ワコウド**の祭典が開かれた。（　）

19 **ムラサキ**は高貴な色とされる。（　）

20 **オモムキ**のある庭園を散策した。（　）

21 **ヒカ**え室で自分の出番を待つ。（　）

22 アルバイト先で**マカナ**い料理を食べる。（　）

23 **シメ**ったバスマットを干す。（　）

24 天井からの**アマモ**りがひどい。（　）

25 先生がお酒を**メ**し上がった。（　）

本試験型

準2級 第5回★テスト

〈60分〉

合計点

200点満点の　　点

- 140点以上 合格
- 110点以上 もう一度学習を
- 80点以上 猛勉強が必要
- 79点以下 受検級を考え直しましょう

(一) 次の――線の**漢字の読み**を**ひらがな**で記せ。

1×30　／30

1 生涯を地域医療にささげる。（　）
2 条例で地域の秩序を守る。（　）
3 呼び鈴を押したが応答がない。（　）
4 亜寒帯の植生を調べる。（　）
5 祖父は充実した人生を送った。（　）
6 夏は高原の別荘ですごす。（　）
7 窃盗事件の容疑者がつかまった。（　）
8 デパートで名産品の頒布会を開く。（　）
9 卒業生懇談会に出席した。（　）
10 御璽とは天皇の印のことである。（　）
11 敵状を偵察して上官に報告する。（　）
12 非常時は柔軟な対応が望ましい。（　）
13 過剰な期待を我が子に寄せる。（　）
14 局所麻酔で手術を受けた。（　）
15 一升びんに酒を詰めて出荷する。（　）
16 懸案事項は来年に持ち越した。（　）
17 市町村合併で町名が変わった。（　）
18 問題の核心に迫った記事だ。（　）
19 融資を受けて事業拡大する。（　）
20 事故の発生を遺憾に思う。（　）
21 飢えに苦しむ人がまだ存在する。（　）
22 友人と岬めぐりの旅に出る。（　）

23 父と叔父の間の溝は深い。（　）
24 一生をかけてあやまちを償う。（　）
25 そっと忍び足で近づく。（　）
26 水中で藻が揺らいでいる。（　）
27 帰宅した兄を笑顔で出迎える。（　）
28 休日は専ら読書に費やす。（　）
29 教会で結婚式が厳かに行われた。（　）
30 旅行で大和の古寺を訪ねる。（　）

(二)

1×10　／10

次の漢字の**部首**を記せ。

〈例〉 英 ［艹］　閉 ［門］

1 且（　）
2 及（　）
3 器（　）
4 缶（　）
5 義（　）
6 衡（　）
7 甘（　）
8 疑（　）
9 久（　）
10 乾（　）

(三)

2×10　／20

熟語の構成のしかたには次のようなものがある。

ア 同じような意味の漢字を重ねたもの **(破損)**
イ 反対または対応の意味を表す字を重ねたもの **(増減)**
ウ 上の字が下の字を修飾しているもの **(新人)**
エ 下の字が上の字の目的語・補語になっているもの **(退場)**
オ 上の字が下の字の意味を打ち消しているもの **(不吉)**

次の熟語は右の**ア～オ**のどれにあたるか、**一つ**選び、**記号**を記せ。

1 雌雄（　）
2 架橋（　）

3 凡庸（　　）

4 主旨（　　）

5 裕福（　　）

6 優劣（　　）

7 抜糸（　　）

8 無味（　　）

9 酪農（　　）

10 酷似（　　）

問1/2×10
問2/2×5

／30

(四) 次の**四字熟語**について、問1と問2に答えよ。

問1 後の□内のひらがなを**漢字**にして□に入れ、**四字熟語**を完成せよ。□内のひらがなは一度だけ使い、□内に**一字記入**せよ。

ア 物議□(1)然

イ 鯨□(2)馬食

ウ 士魂□(3)才

エ 山□(4)水明

オ 挙国一□(5)

カ □(6)実剛健

キ 怪力乱□(7)

ク 疾風迅□(8)

ケ 公序良□(9)

コ □(10)謀術数

いん・けん・し・しつ・しょう・しん
そう・ぞく・ち・らい

問2 次の11～15の**意味**にあてはまるものを問1の**ア～コの四字熟語**から**一つ**選び、**記号**で答えよ。

11 国民全体が一つに団結すること。（　　）

12 自然の景色が清らかで美しいこと。（　　）

13 物事のなりゆきや変化がすばやく激しいさま。（　　）

14 理屈では説明のつかない現象や物事。（　　）

15 ひとをあざむくための計略。（　　）

2×10
□ /20

(五)

次の1～5の**対義語**、6～10の**類義語**を後の□の中から選び、**漢字**で記せ。□の中の語は一度だけ使うこと。

対義語

1 韻文（　　）
2 広大（　　）
3 謙譲（　　）
4 衰微（　　）
5 負債（　　）

類義語

6 矯正（　　）
7 快活（　　）
8 逝去（　　）
9 傾向（　　）
10 敢闘（　　）

きょうしょう・さんぶん・しさん
しぼう・ぜせい・そんだい・はんえい
ふうちょう・ふんせん・ようき

2×10
□ /20

(六)

次の――線の**カタカナ**を**漢字**に直せ。

1 恩人に特別の便**ギ**を図る。（　　）
2 昆虫の**ギ**態に目を見張らされる。（　　）
3 血液が全身を**ジュン**環する。（　　）
4 海外旅行の**ジュン**備を行う。（　　）
5 他国の**キョウ**威にさらされる。（　　）
6 つかの間の平和を**キョウ**受する。（　　）
7 布きんを滅**キン**消毒する。（　　）
8 **キン**急事態が発生する。（　　）
9 本名を**フ**せて投書する。（　　）
10 火山が真っ赤な火を**フ**く。（　　）

2×5

/10

(七)

次の各文にまちがって使われている同じ読みの漢字が一字ある。（　）内の上に誤字を、下に正しい漢字を記せ。

1 静かな秋の夜長にじっと耳を済まして草むらにすだく虫の声を聴いた。（　・　）

2 犯人は現場から透走しようとしたが周りにいた警察官にすぐに取り押さえられた。（　・　）

3 早朝からふき荒れた強風は木枯らし一号と認定され本格的な冬の倒来を告げた。（　・　）

4 日本経済復興の過途期に設立された我が社は順調に発展し拡大し続けている。（　・　）

5 目下最大の楽しみは快晴の休日に防波提で魚を釣り、魚料理の腕を振るうことだ。（　・　）

2×5

/10

(八)

次の——線のカタカナを漢字一字と送りがな（ひらがな）に直せ。

〈例〉空が**ハレル**。　晴れる

1 全力を**ツクシ**て戦う。（　）

2 ご意見を**ウケタマワリ**ます。（　）

3 風呂場の寒さに思わず**フルエ**た。（　）

4 お寺の鐘をつくと**ニブイ**音がした。（　）

5 久しぶりの雨で田畑が**ウルオウ**。（　）

2 ×25

/50

(九) 次の――線のカタカナを漢字に直せ。

1 被災者の慰霊碑を**コンリュウ**する。（　）

2 結論を巡って会議は**フンキュウ**した。（　）

3 猫を**ジュウイ**に診てもらう。（　）

4 鉱山の**コウドウ**で事故が起きた。（　）

5 我が町は陸の**コトウ**と呼ばれている。（　）

6 苦手科目を**コクフク**する。（　）

7 無実の罪で**トウゴク**される。（　）

8 仕事の大まかな流れを**ハアク**する。（　）

9 大会の上位三名が**ヒョウショウ**される。（　）

10 生徒会長に**スイセン**される。（　）

11 **ダラク**した大学生活を送る。（　）

12 戸籍**トウホン**を取り寄せる。（　）

13 就職して以来**ソエン**になった。（　）

14 町内会の会合に**チコク**した。（　）

15 **ヒニョウキ**科を受診する。（　）

16 不測の事態に**オチイ**る。（　）

17 **サビ**のある声で歌う。（　）

18 事の経緯を**クワ**しく説明する。（　）

19 **フブキ**に視界を遮られる。（　）

20 **モチュウ**のため年賀状は出さない。（　）

21 新たな試みに**イド**む。（　）

22 着物を半日ほど**カゲボ**しする。（　）

23 古いベンチにペンキを**ヌ**る。（　）

24 **エリ**を開いて語り合う。（　）

25 **カタヨ**った考え方をしない。（　）

本試験型

準2級

第6回★テスト

〈60分〉

合計点

200点満点の　　点

- 140点以上 合格
- 110点以上 もう一度学習を
- 80点以上 猛勉強が必要
- 79点以下 受検級を考え直しましょう

1×30　　/30

(一) 次の——線の**漢字の読み**を**ひらがな**で記せ。

1 弟は奇矯なふるまいが目につく。（　　）
2 土塀の崩れた人家がある。（　　）
3 辺りは漆黒のやみに包まれた。（　　）
4 この石けんは殺菌力が強い。（　　）
5 議員は汚職の嫌疑をかけられている。（　　）
6 社会に不穏な空気が醸成される。（　　）
7 尉官は軍隊で最下級の将校だ。（　　）
8 源氏の嫡流を受け継ぐ。（　　）
9 亡父の肖像画を描いてもらう。（　　）
10 凡庸な作品と批評された。（　　）
11 家出人の捜索願を出す。（　　）
12 家族で祖母の還暦を祝う。（　　）
13 事故で道路が渋滞している。（　　）
14 妊娠中も適度な運動が必要だ。（　　）
15 収賄容疑で取り調べを受ける。（　　）
16 正妃としての待遇を受ける。（　　）
17 上陸用舟艇に乗りかえる。（　　）
18 弦楽四重奏のCDを買った。（　　）
19 懸案事項について議論する。（　　）
20 庭に水仙の芽が出た。（　　）
21 警察に偽らぬ事実を伝える。（　　）
22 伝統の行事が廃れてしまった。（　　）

第6回

23 書類に但し書きを付ける。（　　）
24 津波警報が出された。（　　）
25 厳しい現実に夢を砕かれた。（　　）
26 敵に一泡吹かせてやるつもりだ。（　　）
27 兄は長年病気と闘っている。（　　）
28 公園の芝生は立入禁止だ。（　　）
29 紙一重の差で負けてしまった。（　　）
30 名残の月が空にかかる。（　　）

(二)

1×10　／10

次の漢字の**部首**を記せ。

〈例〉英〔艹〕　閉〔門〕

1 幾（　　）
2 求（　　）
3 享（　　）
4 琴（　　）
5 重（　　）

6 丘（　　）
7 挙（　　）
8 庸（　　）
9 巨（　　）
10 勲（　　）

(三)

2×10　／20

熟語の構成のしかたには次のようなものがある。

ア 同じような意味の漢字を重ねたもの　**（破損）**
イ 反対または対応の意味を表す字を重ねたもの　**（増減）**
ウ 上の字が下の字を修飾しているもの　**（新人）**
エ 下の字が上の字の目的語・補語になっているもの　**（退場）**
オ 上の字が下の字の意味を打ち消しているもの　**（不吉）**

次の熟語は右の**ア～オ**のどれにあたるか、**一つ**選び、**記号**を記せ。

1 逸品（　）
2 多寡（　）

3 無粋（　）

4 背信（　）

5 年俸（　）

6 婚姻（　）

7 亜流（　）

8 併合（　）

9 禍福（　）

10 閲兵（　）

問1 1/2×10
問2 2/2×5
/30

(四) 次の**四字熟語**について、問1と問2に答えよ。

問1 後の［　］内のひらがなを**漢字**にして□に入れ、**四字熟語**を完成せよ。［　］内のひらがなは一度だけ使い、□内に**一字記入**せよ。

ア 1□行錯誤

イ 取2□選択

ウ 周3□徹底

エ 沈思4□考

オ 不5□不滅

カ 色6□是空

キ 五里7□中

ク 人面8□心

ケ 孤9□落日

コ 要害10□固

きゅう・けん・し・しゃ・じゅう
じょう・そく・ち・む・もっ

問2 次の11～15の**意味**にあてはまるものを問1の**ア～コの四字熟語**から**一つ**選び、**記号**で答えよ。

11 手がかりがつかめずとまどうこと。（　）

12 人間らしい心をもたない人のこと。（　）

13 静かにじっとして深く考え込むこと。（　）

14 備えのかたいこと。（　）

15 勢力が傾いて助けもこない心細いさまのこと。（　）

2×10

/20

(五)

次の1～5の**対義語**、6～10の**類義語**を後の□の中から選び、**漢字**で記せ。□の中の語は一度だけ使うこと。

対義語

1 高騰（　　）
2 酷評（　　）
3 従順（　　）
4 発端（　　）
5 弔電（　　）

類義語

6 火急（　　）
7 冠省（　　）
8 正邪（　　）
9 達者（　　）
10 考慮（　　）

けつまつ・けんぜん・ごうじょう・しあん
しゅくでん・ぜっさん・せっぱく
ぜんりゃく・ていらく・りひ

2×10

/20

(六)

次の――線の**カタカナ**を**漢字**に直せ。

1 長年取引を**ケイ**続している会社だ。（　　）
2 電卓と筆記具は必ず**ケイ**帯する。（　　）
3 部長と課長を**ケン**務する。（　　）
4 今の成績であれば合格**ケン**内だ。（　　）
5 友人を両親に**ショウ**介する。（　　）
6 新しい液**ショウ**テレビを買う。（　　）
7 世界の**コウ**久の平和を願う。（　　）
8 警察官が犯人を**コウ**束する。（　　）
9 転校する友人との別れを**オ**しむ。（　　）
10 実家の庭に雑草が**オ**い茂る。（　　）

2×5

/10

（七）

次の各文にまちがって使われている**同じ読みの漢字が一字**ある。（ ）内の**上に誤字**を、**下に正しい漢字**を記せ。

1 旅客機の降着装置が故障し機長の判断で滑走路に同体着陸を敢行した。（　・　）

2 わずかな衝撃・摩擦・熱で容易に爆発する改良型の起爆財を装着する。（　・　）

3 追突事故で多大な迷惑を掛けた運転手は彼害者に手をついて謝罪した。（　・　）

4 出席者が二百名以上の盛大な結婚披露宴で、新朗新婦のご多幸を祈り全員で乾杯した。（　・　）

5 世界の映画界に不滅の金字搭を打ち立てた巨匠が静かにこの世を去った。（　・　）

2×5

/10

（八）

次の——線の**カタカナ**を**漢字一字と送りがな（ひらがな）**に直せ。

〈例〉空が**ハレル**。　晴れる

1 頭痛を**ウッタエ**て早退する。（　　）

2 苦情処理を**スミヤカ**に行う。（　　）

3 来年の運勢を**ウラナッ**てもらう。（　　）

4 **アヤシマ**れるようなことは慎む。（　　）

5 自らの犯した罪を**ツグナウ**。（　　）

第6回

2×25

／50

(九)

次の――線の**カタカナ**を**漢字**に直せ。

1 竹は**チカケイ**で生息域を広げる。（　）
2 場内は**ソウゼン**となった。（　）
3 台所に**カンキセン**をつける。（　）
4 梅雨の時期は**シッケ**が多い。（　）
5 予算は毎年**サクゲン**されている。（　）
6 手紙の返事を**サイソク**する。（　）
7 荒れ地を**カイコン**する。（　）
8 動くのは時期**ショウソウ**だ。（　）
9 祖父は**シギン**を趣味にしている。（　）
10 私は父に似て**ガンコ**な性格だ。（　）
11 花火の**ヨイン**を味わう。（　）
12 交通事故が**ヒンパツ**している。（　）
13 作品に深い**カンメイ**を受ける。（　）
14 **ケンビキョウ**で藻類を観察する。（　）
15 お**ボン**には墓参りに行く。（　）
16 念願の初勝利の喜びに**ヒタ**る。（　）
17 精も根も**ツ**き果てる。（　）
18 玄関でサンダルに**ハ**き替える。（　）
19 学校新聞に記事を**ノ**せる。（　）
20 雨が降り大地が**ウルオ**う。（　）
21 家に帰るとまず**クツシタ**を脱ぐ。（　）
22 パンにハムを**ハサ**んで食べる。（　）
23 霧によって視界が**サエギ**られた。（　）
24 **カミナリグモ**が空を覆う。（　）
25 **アズキ**ともち米で赤飯を炊く。（　）

本試験型

準2級 第7回★テスト

〈60分〉

合計点

200点満点の　　　　点

- 140点以上 合格
- 110点以上 もう一度学習を
- 80点以上 猛勉強が必要
- 79点以下 受検級を考え直しましょう

1×30

/30

（一） 次の――線の**漢字の読み**を**ひらがな**で記せ。

1 心の琴線に触れる名演奏だ。（　　）
2 ガスの元栓を閉め忘れた。（　　）
3 担当大臣を更迭する。（　　）
4 弟は十年に一人の逸材だ。（　　）
5 財布の中の紙幣を数える。（　　）
6 連合艦隊を編成する。（　　）
7 呉音は漢字の読み方のひとつだ。（　　）
8 激しい銃撃戦がひとしきり続く。（　　）
9 犯人を忍耐強く説得する。（　　）
10 個人情報の登録を抹消してもらう。（　　）
11 この辺りの土壌は酸性だ。（　　）
12 衷心からお悔やみの言葉を述べる。（　　）
13 本筋よりも挿話がおもしろい。（　　）
14 この地には尚武の気風が残っている。（　　）
15 エビやカニは甲殻類だ。（　　）
16 事件の黒幕が犯罪を教唆した。（　　）
17 結婚披露宴を盛大に行った。（　　）
18 出水のため道路が遮断された。（　　）
19 改革は漸進していると言える。（　　）
20 祖父は北海道で酪農を営む。（　　）
21 相手の要求を冷たく拒む。（　　）
22 ご飯を軟らか目にたく。（　　）

23 幼い子にやさしく教え諭す。（　　）

24 あまりの悔しさに唇をかむ。（　　）

25 父が日曜大工で棚を作る。（　　）

26 為替相場の変化を注視する。（　　）

27 浮ついた気持ちでは大成しない。（　　）

28 裁ちばさみの切れ味が悪い。（　　）

29 意気地なしとののしられる。（　　）

30 猿も木から落ちる。（　　）

1×10　／10

(二) 次の漢字の**部首**を記せ。

〈例〉英〔艹〕　閉〔門〕

1 甲（　　）

2 競（　　）

3 更（　　）

4 慶（　　）

5 業（　　）

6 繭（　　）

7 呉（　　）

8 酪（　　）

9 幸（　　）

10 兼（　　）

2×10　／20

(三) **熟語の構成**のしかたには次のようなものがある。

ア 同じような意味の漢字を重ねたもの　（**破損**）

イ 反対または対応の意味を表す字を重ねたもの　（**増減**）

ウ 上の字が下の字を修飾しているもの　（**新人**）

エ 下の字が上の字の目的語・補語になっているもの　（**退場**）

オ 上の字が下の字の意味を打ち消しているもの　（**不吉**）

次の熟語は右の**ア**～**オ**のどれにあたるか、**一つ**選び、**記号**を記せ。

1 緩急（　）

2 豪邸（　）

3 換気（　　）
4 核心（　　）
5 未納（　　）
6 帰還（　　）
7 枢要（　　）
8 製缶（　　）
9 熟睡（　　）
10 閑暇（　　）

(四)

問1 1/2×10
問2 2/2×5

/30

次の**四字熟語**について、問1と問2に答えよ。

問1 後の□内のひらがなを**漢字**にして□に入れ、**四字熟語**を完成せよ。□内のひらがなは一度だけ使い、□内に**一字記入**せよ。

ア 厚顔無□1
イ 情□2酌量
ウ 優勝□3敗
エ 首□4一貫
オ 神出□5没
カ 志操堅□6
キ 支□7滅裂
ク 小人閑□8
ケ 証□9隠滅
コ □10羅万象

き・きょ・こ・ご・じょう・しん・ち
び・り・れっ

問2 次の11～15の**意味**にあてはまるものを問1の**ア～コの四字熟語**から**一つ**選び、**記号**で答えよ。

11 宇宙に存在するすべての物事。（　　）
12 ばらばらでまとまりがないこと。（　　）
13 初めから終わりまで態度や行動が変わらないこと。（　　）
14 すばやく現れたり隠れたりすること。（　　）
15 事情をくんで刑罰を軽くすること。（　　）

2×10 ／20

（五）

次の1～5の**対義語**、6～10の**類義語**を後の□の中から選び、**漢字**で記せ。□の中の語は一度だけ使うこと。

対義語

1 抄訳（　　）
2 定着（　　）
3 沈滞（　　）
4 希薄（　　）
5 清浄（　　）

類義語

6 吟詠（　　）
7 憶測（　　）
8 没頭（　　）
9 喪心（　　）
10 警戒（　　）

いどう・おだく・かっきょう・かんやく
きぜつ・すいさつ・ねっちゅう・のうみつ
ようじん・ろうしょう

2×10 ／20

（六）

次の――線の**カタカナ**を**漢字**に直せ。

1 原野を開**コン**して牧草地にした。（　　）
2 **コン**親会の案内メールを送る。（　　）

3 事故に遭い**サ**骨にひびが入った。（　　）
4 老夫婦の土地が**サ**取された。（　　）

5 違反者に**カン**大な処置をとる。（　　）
6 **カン**単な文章題を解く。（　　）

7 秋の夜長にあれこれ思**サク**する。（　　）
8 大幅に人員が**サク**減された。（　　）

9 最終的に力**ツ**きて倒れた。（　　）
10 相手の意表を**ツ**いて勝利する。（　　）

2×5

/10

(七)

次の各文にまちがって使われている同じ読みの漢字が一字ある。( )内の上に誤字を、下に正しい漢字を記せ。

1 県立美術館で開催される陶磁器展に出品する作品を業者に販入してもらう。 (・)

2 専門清掃業者の仕事ぶりは正に「美に入り細をうがつ」職人技で到底まねられない。 (・)

3 事件の非疑者を呼び捨てにする報道は人権を著しく傷つけていると指摘した。 (・)

4 今大会で引退を決意している銀蛮の女王は、華麗な舞いを見せて万雷の拍手を浴びた。 (・)

5 過疎化する地方の疲弊の問題を議題に採り上げるのは裂けて通れないことである。 (・)

2×5

/10

(八)

次の——線のカタカナを漢字一字と送りがな(ひらがな)に直せ。

〈例〉空がハレル。 晴れる

1 ナゲカワシイ事件が発生した。 ( )

2 自分の言動をカエリミル。 ( )

3 限界をサトッて方針転換する。 ( )

4 試験に落ちた友人をナグサメル。 ( )

5 道端の木陰でスズム。 ( )

2×25

/50

(九) 次の——線のカタカナを漢字に直せ。

1 成績優秀者には**ベンギ**を図る。（　　）
2 **ダンガイ**裁判所により罷免された。（　　）
3 **ジュンカンキ**の機能が低下している。（　　）
4 **シショウ**の言いつけをよく守る。（　　）
5 お寺の**ショウロウ**を見学する。（　　）
6 幼い頃から**シンビガン**を養う。（　　）
7 昨年の**セツジョク**を果たす。（　　）
8 **タイダ**な生活態度を指摘される。（　　）
9 悪貨は良貨を**クチク**する。（　　）
10 発表会でピアノの**バンソウ**を務めた。（　　）
11 私の街には**チュウトン**地がある。（　　）
12 互いに**ダキョウ**点を探る。（　　）
13 **ジンソク**な判断を求められる。（　　）
14 病院で**ダボク**と診断された。（　　）
15 政治家が**リョウテイ**で会合を行う。（　　）
16 下駄の**ハナオ**が切れてしまった。（　　）
17 よろしくお願い**イタ**します。（　　）
18 同級生に**アワ**い恋心をいだく。（　　）
19 **ハナハ**だ残念なことだ。（　　）
20 勝敗の**ユクエ**を予想する。（　　）
21 夏休みに川の**アサセ**で遊ぶ。（　　）
22 夜遅くまで話が**ハズ**む。（　　）
23 **ネボウ**して学校に遅刻した。（　　）
24 **タタミ**の上に大の字になる。（　　）
25 庭にレンガを**シ**き詰める。（　　）

本試験型

準2級

第8回★テスト

〈60分〉

合計点

200点満点の　　点

- 140点以上　合格
- 110点以上　もう一度学習を
- 80点以上　猛勉強が必要
- 79点以下　受検級を考え直しましょう

(一) 次の――線の漢字の読みをひらがなで記せ。

1×30　　/30

1 新製品発売に長蛇の列ができた。
2 ヘリコプターが旋回している。
3 市役所で婚姻届が受理された。
4 この本に深い感銘を受ける。
5 丁寧な仕事ぶりが評価された。
6 前歴の詐称を告発する。
7 囲碁の基本は祖父に教わった。
8 医師に母の症状を聞く。
9 空に向けて威嚇射撃する。
10 昔から酒の醸造が盛んな町だ。
11 自宅にこもって謹慎する。
12 積年の弊害を取り除く。
13 海外旅行で赤痢にかかった。
14 祖父は法曹界の重鎮だ。
15 敵軍が頑強な抵抗を示す。
16 伯叔とは兄と弟のことだ。
17 今日は母の機嫌が悪い。
18 裁判官を罷免する。
19 初志を貫徹し宇宙飛行士になる。
20 友人を代表して弔辞を読む。
21 事故再発の虞を放置した。
22 焼きものの窯元を訪ねる。

23 冬の早朝は寒風が肌を刺す。（　　）
24 年に一回は病院で診てもらう。（　　）
25 優勝の暁には盛大に祝おう。（　　）
26 電車に傘を置き忘れた。（　　）
27 各地の子守歌を集める。（　　）
28 塩を足して味を調える。（　　）
29 非難の矢面に立たされる。（　　）
30 エビでタイを釣る。（　　）

1×10

/10

(二)

次の漢字の**部首**を記せ。

〈例〉英［艹］　閉［門］

1 栽（　　）
2 興（　　）
3 穀（　　）
4 歳（　　）
5 斎（　　）
6 暁（　　）
7 執（　　）
8 傘（　　）
9 最（　　）
10 棄（　　）

2×10

/20

(三)

熟語の構成のしかたには次のようなものがある。

ア 同じような意味の漢字を重ねたもの　**（破損）**
イ 反対または対応の意味を表す字を重ねたもの　**（増減）**
ウ 上の字が下の字を修飾しているもの　**（新人）**
エ 下の字が上の字の目的語・補語になっているもの　**（退場）**
オ 上の字が下の字の意味を打ち消しているもの　**（不吉）**

次の熟語は右の**ア～オ**のどれにあたるか、**一つ**選び、**記号**を記せ。

1 棄権（　）
2 真偽（　）

3 即位（　　）
5 拒否（　　）
7 吟詠（　　）
9 吉凶（　　）
4 必携（　　）
6 矯正（　　）
8 楽譜（　　）
10 未了（　　）

問1/2×10
問2/2×5
/30

(四)

次の**四字熟語**について、問1と問2に答えよ。

問1 後の□内のひらがなを**漢字**にして□に入れ、**四字熟語**を完成せよ。□内のひらがなは一度だけ使い、□内に**一字記入**せよ。

ア 深山 1□ 谷

イ 2□ 人環視

ウ 迅速果 3□

カ 清廉 6□ 白

キ 7□ 志貫徹

ク 心頭滅 8□

エ 4□ 謀術数

オ 勢力伯 5□

ケ 自力 9□ 生

コ 酔生 10□ 死

きゃく・けっ・けん・こう・しゅう
しょ・だん・ちゅう・む・ゆう

問2 次の11～15の**意味**にあてはまるものを**問1のア～コの四字熟語**から**一つ**選び、**記号**で答えよ。

11 二つの勢力に優劣のないこと。（　　）

12 すばやく大胆に物事を行うこと。（　　）

13 ぼんやりと一生を過ごすこと。（　　）

14 多くの人が取り巻いてみていること。（　　）

15 心が清く不正をするような後ろめたいことがないさまのこと。（　　）

2×10

/20

(五)

次の1～5の**対義語**、6～10の**類義語**を後の□の中から選び、**漢字**で記せ。□の中の語は一度だけ使うこと。

対義語

1 宣戦（　　）

2 閑散（　　）

3 怠慢（　　）

4 疎遠（　　）

5 反抗（　　）

類義語

6 看護（　　）

7 策謀（　　）

8 変遷（　　）

9 屈指（　　）

10 邪心（　　）

あくい・かいほう・きんべん・けいりゃく
こうわ・しんきん・すいい・ばつぐん
はんぼう・ふくじゅう

2×10

/20

(六)

次の――線の**カタカナ**を**漢字**に直せ。

1 男**シャク**という芋がある。（　　）

2 解**シャク**は人それぞれである。（　　）

3 家の老**キュウ**化が進んでいる。（　　）

4 この服はどうも**キュウ**屈だ。（　　）

5 会場で静**シュク**にして待つ。（　　）

6 ついに**シュク**敵を討った。（　　）

7 **ジュウ**実した休日を過ごした。（　　）

8 朝食は一**ジュウ**一菜とする。（　　）

9 石碑に文字を**ホ**る。（　　）

10 友人と同時に杯を飲み**ホ**す。（　　）

2×5

/10

(七)

次の各文にまちがって使われている**同じ読みの漢字が一字**ある。（　）内の**上に誤字**を、**下に正しい漢字**を記せ。

1 悪天候の中危険を侵して山頂を目指しついに念願の初登頂に成功した。（　・　）

2 冠婚葬祭の行事が一日に集中し早朝から真夜中まで掛けずり回った。（　・　）

3 県民文化祭が開催されて典示ブースでは各団体が日ごろの活動を発表した。（　・　）

4 誠実で実行力のある後輩に全腹の信頼を寄せて彼を選挙運動の参謀に任じた。（　・　）

5 活火山から紛煙が上がりまたたく間に周辺一帯は厚い灰に覆われた。（　・　）

2×5

/10

(八)

次の――線の**カタカナ**を**漢字一字と送りがな（ひらがな）**に直せ。

〈例〉空が**ハレル**。　晴れる

1 法外な要求を**シリゾケル**。（　　）

2 恥を**シノン**で借金を申し込む。（　　）

3 芸の上達が**イチジルシイ**。（　　）

4 給料の支払いが**トドコオル**。（　　）

5 人口は大都市に**カタヨッ**ている。（　　）

2×25 /50

(九) 次の——線のカタカナを漢字に直せ。

1 **ソウダイ**な景色を写真に収める。（　　）

2 ガラスに**スイテキ**がつく。（　　）

3 **シュセンド**とののしられた。（　　）

4 雪の**ケッショウ**は六角形をしている。（　　）

5 **イッセキ**の舟が遠くに見える。（　　）

6 **センスイ**士の資格を取る。（　　）

7 **キソ**的な問題から解く。（　　）

8 手続きの**ハンザツ**さを解消してほしい。（　　）

9 姉は自由**ホンポウ**に生きている。（　　）

10 実家は北海道で**ラクノウ**を営んでいる。（　　）

11 **テンガイ**孤独の身となった。（　　）

12 息子はとても**コウキシン**が強い。（　　）

13 常に**ケンキョ**な姿勢を心掛ける。（　　）

14 旧友と**ユカイ**な時間を過ごした。（　　）

15 突如株価が**ボウトウ**した。（　　）

16 ふすまを**カラ**紙ともいう。（　　）

17 実家の庭の**スミ**にはフキが生えている。（　　）

18 他人の新聞を**ヌス**み読みする。（　　）

19 兄を駅まで**ムカ**えに行く。（　　）

20 飼っている猫の首に**スズ**を付けた。（　　）

21 兄には**フタゴ**の子供がいる。（　　）

22 悠長に考えている**ヒマ**はない。（　　）

23 夏はとてものどが**カワ**く。（　　）

24 明日の朝八時に**ウカガ**います。（　　）

25 夏は**カ**取り線香が欠かせない。（　　）

本試験型

準2級 第9回★テスト

〈60分〉

合計点

200点満点の　　点

- 140点以上 合格
- 110点以上 もう一度学習を
- 80点以上 猛勉強が必要
- 79点以下 受検級を考え直しましょう

1×30　　／30

(一) 次の——線の**漢字の読み**を**ひらがな**で記せ。

1 日ごろの計画を実践に移す。（　　）
2 祖父は詩吟を趣味にしている。（　　）
3 相手方に契約の履行を求める。（　　）
4 最近役所の不祥事が相次ぐ。（　　）
5 中国語の音韻を研究する。（　　）
6 長江がゆったりと流れる。（　　）
7 失敗続きで自信喪失気味だ。（　　）
8 国語教育の実態を把握する。（　　）
9 それは被害妄想というものだ。（　　）
10 難癖を一喝してだまらせる。（　　）
11 幼少時からの偏食が直らない。（　　）
12 来賓を式場まで案内する。（　　）
13 淑女然としてふるまう。（　　）
14 飢餓に苦しむ人々を救おう。（　　）
15 巨大な岩石を粉砕する。（　　）
16 世界チャンピオンに挑戦する。（　　）
17 基地を撤収して帰国した。（　　）
18 ラクダの隊商が砂漠を行く。（　　）
19 不当に入手した記録を抹消する。（　　）
20 円借款の話がまとまる。（　　）
21 畑に畝を作り、作物の種を植える。（　　）
22 失敗に懲りて用心深くなった。（　　）

第9回

23 人を欺くのが得意な男だ。（　　）
24 船で巨大な渦潮を見物に行った。（　　）
25 いちいち調べるのは煩わしい。（　　）
26 ありがたいお言葉を賜る。（　　）
27 どこからか琴の音が聞こえてくる。（　　）
28 友人に推されて委員長になった。（　　）
29 市から立ち退きを要求された。（　　）
30 小正月に小豆がゆを炊く。（　　）

(二)

1×10　／10

次の漢字の**部首**を記せ。

〈例〉 英〔艹〕　閉〔門〕

1 爵（　　）
2 裁（　　）
3 参（　　）
4 臭（　　）
5 朱（　　）
6 秀（　　）
7 妄（　　）
8 款（　　）
9 粛（　　）
10 匠（　　）

(三)

2×10　／20

熟語の構成のしかたには次のようなものがある。

ア 同じような意味の漢字を重ねたもの　**(破損)**
イ 反対または対応の意味を表す字を重ねたもの　**(増減)**
ウ 上の字が下の字を修飾しているもの　**(新人)**
エ 下の字が上の字の目的語・補語になっているもの　**(退場)**
オ 上の字が下の字の意味を打ち消しているもの　**(不吉)**

次の熟語は右の**ア**～**オ**のどれにあたるか、**一つ**選び、**記号**を記せ。

1 無為（　）
2 傑作（　）

3 充当（　　）
4 嫌煙（　　）
5 慶弔（　　）
6 応募（　　）
7 傍聴（　　）
8 勧奨（　　）
9 甲乙（　　）
10 剛柔（　　）

問1/2×10
問2/2×5

/30

(四)

次の**四字熟語**について、問1と問2に答えよ。

問1 後の□内のひらがなを**漢字**にして□に入れ、**四字熟語**を完成せよ。□内のひらがなは一度だけ使い、□内に**一字記入**せよ。

ア 泰然自1□
イ 粗2□粗食
ウ 新陳3□謝
エ 4□日昇天
オ 主客転5□
カ 人6□未踏
キ 深謀遠7□
ク 縦横無8□
ケ 徹頭徹9□
コ 大10□壮語

い・げん・じゃく・じん・せき・たい
とう・はく・び・りょ

問2 次の11～15の**意味**にあてはまるものを問1の**ア～コの四字熟語**から**一つ**選び、**記号**で答えよ。

11 どのような事が起こっても、動じることがなく落ち着いているさま。（　　）
12 将来のことまで考え計画を練ること。（　　）
13 物事の順序や立場などが逆転すること。（　　）
14 言葉に行動がともなわないこと。（　　）
15 初めから終わりまで。（　　）

2×10

/20

(五)

次の1～5の**対義語**、6～10の**類義語**を後の□の中から選び、**漢字**で記せ。□の中の語は一度だけ使うこと。

対義語

1 束縛（　　）
2 淡泊（　　）
3 紛争（　　）
4 鈍重（　　）
5 寡黙（　　）

類義語

6 蛍雪（　　）
7 親類（　　）
8 哀訴（　　）
9 倫理（　　）
10 対等（　　）

えいびん・えんじゃ・くがく・ごかく
じゆう・たべん・たんがん・どうとく
のうこう・わごう

2×10

/20

(六)

次の――線の**カタカナ**を**漢字**に直せ。

1 立候補するには時期**ショウ**早だ。（　　）
2 ハイネの作品を**ショウ**訳する。（　　）
3 商品の**セン**在的な需要を調べる。（　　）
4 美しい**セン**律の曲が完成した。（　　）
5 お客様に**ケン**譲の心を示す。（　　）
6 今のところ**ケン**著な動きはない。（　　）
7 タイルをきれいに洗**ジョウ**する。（　　）
8 **ジョウ**余金を取りくずす。（　　）
9 暗がりで神経を**ト**ぎ澄ます。（　　）
10 ついに当初の目的を**ト**げた。（　　）

2×5　□ /10

（七）

次の各文にまちがって使われている**同じ読みの漢字**が**一字**ある。（　）内の**上に誤字**を、**下に正しい漢字**を記せ。

1 決勝戦の九回に面目訳如となる逆転満塁本塁打を打ち勝利を決めた。（　・　）

2 暇と金を得た老夫婦が欧州諸国を万遊し優雅な日々を過ごした。（　・　）

3 反対派の少数意見を目殺して議事を進行させたことが禍根を残した。（　・　）

4 一団の前方に不意に大滝のある悠大な景観が広がり全員思わず歓声を上げた。（　・　）

5 ビル火災で盲火に包囲され絶体絶命の危機だったが幸運にも助かった。（　・　）

2×5　□ /10

（八）

次の――線の**カタカナ**を**漢字一字と送りがな（ひらがな）**に直せ。

〈例〉空が**ハレル**。　晴れる

1 痛ましい事故に目を**ソムケル**。（　　）

2 おほめの言葉を**イタダク**。（　　）

3 **メズラシイ**輸入果物をもらう。（　　）

4 洪水対策を**ホドコス**。（　　）

5 二つの意味を**アワセテ**記す。（　　）

2×25

/50

(九) 次の――線のカタカナを漢字に直せ。

1 今日の**チョウカ**は散々だった。（　　）

2 数日は**ドンテン**の日が続く。（　　）

3 立った**ヒョウシ**に腰を痛めた。（　　）

4 **タッキュウ**の大会で優勝する。（　　）

5 会場の安全に万全の**ソチ**をとる。（　　）

6 仕事でアメリカに**タイザイ**する。（　　）

7 **タクジショ**に子供を預ける。（　　）

8 外国人と意思の**ソツウ**を図る。（　　）

9 宮殿で王様に**エッケン**する。（　　）

10 **カンダイ**な心で他人の失敗を許す。（　　）

11 **スイソウ**でメダカを飼う。（　　）

12 お寺の**ヘイ**に沿って進む。（　　）

13 勢力の**キンコウ**がくずれた。（　　）

14 **コンチュウ**採集を趣味にしている。（　　）

15 事の**ホッタン**はささいなことだった。（　　）

16 入院中の祖母に回復の**キザ**しが見えた。（　　）

17 城の**ホリ**に白鳥が飛来した。（　　）

18 締め切りが明日に**セマ**った。（　　）

19 それとなく**サグ**りをいれる。（　　）

20 あさりの**シグレ**煮をいただく。（　　）

21 実家の周りは一面の**クワバタケ**だ。（　　）

22 **デコボコ**とした道をひたすら歩く。（　　）

23 **ミニク**い本性がむき出しになる。（　　）

24 木を**ケズ**ってペンダントを作った。（　　）

25 計画が**コシ**くだけになる。（　　）

本試験型

準2級 第10回★テスト

〈60分〉

合計点

200点満点の　　点

- 140点以上
合格
- 110点以上
もう一度学習を
- 80点以上
猛勉強が必要
- 79点以下
受検級を考え直しましょう

1×30　　／30

(一) 次の――線の漢字の読みをひらがなで記せ。

1 自宅で料理教室を主宰する。（　　）
2 時宜を得た措置だったと思う。（　　）
3 念願の全国制覇を達成した。（　　）
4 風刺をきかせた川柳を作る。（　　）
5 客船が港で検疫を受ける。（　　）
6 事実を厳粛に受けとめる。（　　）
7 最近地震が頻発している。（　　）
8 山頂からの眺望を楽しむ。（　　）
9 支払いは一括で済ます。（　　）
10 紳士的な態度をとる。（　　）
11 追悼集会には大勢の市民が参加した。（　　）
12 団体交渉で自分達の要求を通す。（　　）
13 動脈に出来た血栓を取り除く。（　　）
14 父は晩酌を楽しみにしている。（　　）
15 意見を肯定も否定もしない。（　　）
16 水槽で熱帯魚を飼っている。（　　）
17 いまだに懐疑の念が消えない。（　　）
18 警備の盲点をつかれた。（　　）
19 社会の一隅で暮らす。（　　）
20 恐竜の化石を展示する。（　　）
21 新しい靴をおろしてはく。（　　）
22 勉強を続けるのが嫌になる。（　　）

23 謹んでおわび申し上げます。（　　）
24 包丁が刃こぼれしている。（　　）
25 庭の扉を開け放しにする。（　　）
26 お弔いの行列を見送る。（　　）
27 駅前を多数の人々が行き交う。（　　）
28 反物を広げて見せてもらう。（　　）
29 両親の期待に背く。（　　）
30 穏やかな小春日和の毎日だ。（　　）

(二)

1×10　/10

次の漢字の**部首**を記せ。

〈例〉英〔艹〕　閉〔門〕

1 丈（　　）
2 扉（　　）
3 升（　　）
4 衆（　　）
5 重（　　）
6 弟（　　）
7 尚（　　）
8 章（　　）
9 辱（　　）
10 衡（　　）

(三)

2×10　/20

熟語の構成のしかたには次のようなものがある。

ア　同じような意味の漢字を重ねたもの　**（破損）**
イ　反対または対応の意味を表す字を重ねたもの　**（増減）**
ウ　上の字が下の字を修飾しているもの　**（新人）**
エ　下の字が上の字の目的語・補語になっているもの　**（退場）**
オ　上の字が下の字の意味を打ち消しているもの　**（不吉）**

次の熟語は右の**ア～オ**のどれにあたるか、**一つ**選び、**記号**を記せ。

1 酷似（　）
2 未婚（　）

3 直轄（　）

4 肢体（　）

5 添削（　）

6 媒体（　）

7 遭難（　）

8 遮断（　）

9 納涼（　）

10 抑揚（　）

（四）

問1/2×10
問2/2×5
/30

次の**四字熟語**について、問1と問2に答えよ。

問1 後の□内のひらがなを**漢字**にして□に入れ、**四字熟語**を完成せよ。□内のひらがなは一度だけ使い、□内に**一字記入**せよ。

ア 東奔1□走

イ 内2□外剛

ウ 多岐亡3□

エ 千客4□来

オ 5□常一様

カ 先憂後6□

キ 千7□一遇

ク 8□遍妥当

ケ 信賞必9□

コ 生殺10□奪

ざい・じゅう・じん・せい・ばつ ばん・ふ・よ・よう・らく

問2 次の11〜15の**意味**にあてはまるものを問1の**ア〜コの四字熟語**から**一つ**選び、**記号**で答えよ。

11 どんな場合にも常にあてはまること。（　）

12 方針がたくさんありすぎてどれを選べばよいかわからないこと。（　）

13 目的のために忙しく走り回ること。（　）

14 めったにないよい機会。（　）

15 実際は気が弱いのに外見は強そうなこと。（　）

第10回

(五)

2×10　　/20

次の1～5の**対義語**、6～10の**類義語**を後の□の中から選び、**漢字**で記せ。□の中の語は一度だけ使うこと。

対義語

1 粗大（　　）
2 軽率（　　）
3 模倣（　　）
4 逸材（　　）
5 廃止（　　）

類義語

6 傑出（　　）
7 歴然（　　）
8 官吏（　　）
9 遺憾（　　）
10 弁解（　　）

さいみつ・ざんねん・しゃくめい
しんちょう・そうぞう・そんち・ばつぐん
ぼんさい・めいはく・やくにん

(六)

2×10　　/20

次の――線の**カタカナ**を**漢字**に直せ。

1 法案に賛成の機運が**ジョウ**成される。（　　）
2 かぜ薬を一回二**ジョウ**服用する。（　　）
3 少年野球の**シン**判をする。（　　）
4 妊**シン**の兆候が表れる。（　　）
5 軍の総**スイ**として指揮をとる。（　　）
6 店で**スイ**客の相手をする。（　　）
7 父は今朝急**セイ**した。（　　）
8 開会式で選手宣**セイ**を行う。（　　）
9 どうにも勉強に**ミ**が入らない。（　　）
10 医者が患者を**ミ**る。（　　）

2×5

/10

(七) 次の各文にまちがって使われている**同じ読みの漢字**が**一字**ある。( )内の**上に誤字**を、**下に正しい漢字**を記せ。

1 騒がしい都会を脱出して放れ小島で八週間過ごした体験を基に小説を書いた。 (・)

2 興信所に交際相手の素行調査を依来するとは心情的には理解しがたいことだ。 (・)

3 過去を振り返ると大して社会に貢権せずいたずらに日々生きてきたようだ。 (・)

4 陰歴では六月を水無月、八月を葉月、九月を長月、十一月を霜月などという。 (・)

5 国賓として来日した中国の国家主席を、丁重な栄余礼で出迎え手厚く持てなした。 (・)

2×5

/10

(八) 次の——線の**カタカナ**を**漢字一字と送りがな(ひらがな)**に直せ。

〈例〉空が**ハレル**。 晴れる

1 **アザヤカナ**逆転勝利を飾った。 ( )

2 返済期日を**カナラズ**守る。 ( )

3 膨大な時間を**ツイヤシ**て成功した。 ( )

4 散歩をすると気が**マギレル**。 ( )

5 大きなぬいぐるみを**カカエル**。 ( )

2×25

/50

(九) 次の——線のカタカナを漢字に直せ。

1 大臣が**コウテツ**される。（　）
2 **カジョウ**な投資が負債となった。（　）
3 トーナメントの初戦で**ザンパイ**した。（　）
4 母校の**キョウダン**に立つ。（　）
5 美術館で**チョウコク**を鑑賞する。（　）
6 新商品を**チンレツ**する。（　）
7 **トクメイ**の人物から伝言があった。（　）
8 隣国と条約を**テイケツ**する。（　）
9 **ダンシャク**いもはじゃがいもの一品種だ。（　）
10 **ジュウソウ**は料理にも掃除にも使える。（　）
11 ギリシャはオリンピック**ハッショウ**の地だ。（　）
12 締め切りまで幾分**ユウヨ**がある。（　）
13 友人達の前で**シュウタイ**をさらす。（　）
14 **コウズイ**による多大な被害が出た。（　）
15 **ジンソク**な行動によって危機を脱する。（　）
16 **ハマ**風が火照った顔に心地よい。（　）
17 情景をまぶたに思い**エガ**く。（　）
18 株の暴落で損害を**コウム**る。（　）
19 必死に平静を**ヨソオ**う。（　）
20 敷居の**ミゾ**まで丁寧に掃除する。（　）
21 悔しくて**クチビル**をかむ。（　）
22 だんだんと寒さが**ユル**む。（　）
23 **タマシイ**が抜けたような表情。（　）
24 傷が**イ**えるまで安静にする。（　）
25 丸太を割って**タキギ**を作る。（　）

本試験型 準2級 第11回★テスト 〈60分〉

合計点

200点満点の　　点

- 140点以上 合格
- 110点以上 もう一度学習を
- 80点以上 猛勉強が必要
- 79点以下 受検級を考え直しましょう

(一)

1×30　　/30

次の——線の**漢字の読み**を**ひらがな**で記せ。

1 宮殿で国王に謁見した。（　）
2 花瓶に花を生けて玄関に飾る。（　）
3 幕府の直轄地に代官を置く。（　）
4 日本にもかつては爵位があった。（　）
5 戦争は人心の荒廃を招く。（　）
6 日に焼けた褐色の肌がたくましい。（　）
7 兄の悠然とした態度が頼もしい。（　）
8 事故の民事訴訟を起こす。（　）
9 父は発泡酒を好んで飲む。（　）
10 古代には度々遷都があった。（　）
11 偽名を使ってスパイ活動をする。（　）
12 村に待望の診療所ができた。（　）
13 不法行為を懲罰委員会にかける。（　）
14 事務所の消耗品費を計上する。（　）
15 毎週進学塾に通っている。（　）
16 初めて飛行機に搭乗する。（　）
17 王侯貴族が支配する時代は過ぎた。（　）
18 課題の英文を逐語訳する。（　）
19 海岸で海藻を採取する。（　）
20 現場を満遍無く見て回る。（　）
21 襟元にスカーフを巻く。（　）
22 アルバイトで学費を稼ぐ。（　）

23 漆塗りのおわんを買った。（　）
24 この法案は改革への一里塚だ。（　）
25 十月になってようやく涼しくなった。（　）
26 代表選手の出場辞退は甚だ残念だ。（　）
27 シャム猫を二匹飼っている。（　）
28 お蔵入りした台本を引っ張り出す。（　）
29 最寄り駅まで歩いて十分かかる。（　）
30 川の中州に鳥が巣を作った。（　）

（二）

1×10　／10

次の漢字の**部首**を記せ。

〈例〉英 ［艹］　閉 ［門］

1 垂（　）
2 象（　）
3 乗（　）
4 刃（　）
5 衰（　）
6 井（　）
7 常（　）
8 斥（　）
9 甚（　）
10 畝（　）

（三）

2×10　／20

熟語の構成のしかたには次のようなものがある。

ア 同じような意味の漢字を重ねたもの（**破損**）
イ 反対または対応の意味を表す字を重ねたもの（**増減**）
ウ 上の字が下の字を修飾しているもの（**新人**）
エ 下の字が上の字の目的語・補語になっているもの（**退場**）
オ 上の字が下の字の意味を打ち消しているもの（**不吉**）

次の熟語は右の**ア～オ**のどれにあたるか、**一つ**選び、**記号**を記せ。

1 上棟（　）
2 俊秀（　）

3 美醜（　　）

4 蛇行（　　）

5 無益（　　）

6 循環（　　）

7 渋滞（　　）

8 矛盾（　　）

9 銃創（　　）

10 遵法（　　）

問1/2×10
問2/2× 5

□ /30

（四）

次の**四字熟語**について、問1と問2に答えよ。

問1

後の□内のひらがなを**漢字**にして□に入れ、**四字熟語**を完成せよ。□内のひらがなは一度だけ使い、□内に**一字記入**せよ。

ア □1敗堕落

カ 弊衣破□6

イ 粉□2砕身

キ 前□7有望

ウ 変幻自□3

ク 肝胆相□8

エ □4髪衝天

ケ 正□9正銘

オ 善□5友好

コ 複雑怪□10

き・こつ・ざい・しょう・しん

と・ど・ふ・ぼう・りん

問2

次の11～15の**意味**にあてはまるものを問1のア～コの四字熟語から**一つ**選び、**記号**で答えよ。

11 力の限り努力すること。（　　）

12 身なりに気を配らない粗野なさま。（　　）

13 将来の見込みや望みがあること。（　　）

14 お互いに心の底からわかりあって親しくつきあうこと。（　　）

15 自分の思い通りに変化すること。（　　）

2×10

/20

（五）

次の1～5の**対義語**、6～10の**類義語**を後の□の中から選び、**漢字**で記せ。□の中の語は一度だけ使うこと。

対義語

1 繁雑（　　）
2 喪失（　　）
3 貫徹（　　）
4 膨張（　　）
5 善行（　　）

類義語

6 貢献（　　）
7 踏襲（　　）
8 無事（　　）
9 逸材（　　）
10 屈服（　　）

あくじ・えいさい・かくとく・かんそ
きよ・けいしょう・しゅうしゅく
そくさい・ちゅうぜつ・とうこう

2×10

/20

（六）

次の――線の**カタカナ**を**漢字**に直せ。

1 宝石店の**セッ**盗犯が捕まった。（　　）
2 是非**セッ**宅にお越し下さい。（　　）

3 古代文明発**ショウ**の地を訪ねる。（　　）
4 ひじの関節が炎**ショウ**を起こす。（　　）

5 彼女は**セン**細な神経の持ち主だ。（　　）
6 推**セン**で大学に入学した。（　　）

7 事件の公開**ソウ**査に踏み切った。（　　）
8 父に倣って法**ソウ**界の道へ進む。（　　）

9 今年の冬は**コト**に寒かった。（　　）
10 **コト**と笛で演奏する。（　　）

2×5

/10

(七)

次の各文にまちがって使われている**同じ読みの漢字が一字**ある。（ ）内の**上に誤字**を、**下に正しい漢字**を記せ。

1 大学に現役で合格した彼女は観喜の表情を浮かべてその旨を恩師に報告した。（ ・ ）

2 欠員募集に優秀な人材が集まらず当分は現状委持で頑張らざるをえない。（ ・ ）

3 出生率の低下により先祖のお墓を守る子孫が絶えた無援墓地が増え続けている。（ ・ ）

4 警備員が昼夜を問わず工場及び倉庫内を順回して安全点検を実施している。（ ・ ）

5 過去に九連覇の異業を成し遂げた球団が今年はBクラスに低迷している。（ ・ ）

2×5

/10

(八)

次の――線の**カタカナ**を**漢字一字と送りがな（ひらがな）**に直せ。

〈例〉空が**ハレル**。 晴れる

1 今日は**イソガシイ**一日でした。（ ）

2 **ダマリ**込んで一言も発しない。（ ）

3 旅先で胸**オドル**体験をする。（ ）

4 師から門外不出の秘法を**サズカル**。（ ）

5 ひどい自己嫌悪に**オチイル**。（ ）

第11回

2×25
/50

(九) 次の——線の**カタカナ**を**漢字**に直せ。

1 **ソボク**な味が売りの店だ。
2 **ルイシン**の判定はファールだった。
3 **キンユウ**業界へ転職する。
4 近所の**トウゲイ**教室に通う。
5 **ヤバン**な風習が残っている。
6 郷土の歴史を表す**セキヒ**がたてられた。
7 心臓に重大な**シッカン**がある。
8 外部からのアクセスを**シャダン**した。
9 警察が**ユウカイ**犯を捕まえる。
10 野球部の**カントク**に就任する。
11 世界の**チツジョ**が乱れる。
12 自由な学校生活を**キョウジュ**する。
13 **トウビョウ**中の友人を見舞う。
14 **コウガイ**にある一軒家を購入した。
15 レストランに**キツエン**専用室を設ける。
16 不当な判決に**イキドオ**る。
17 **ホラアナ**の中に動物の骨があった。
18 山々に**イダ**かれた村に住む。
19 完成に四年の歳月を**ツイ**やす。
20 **イクジ**無しと言われたくない。
21 体を**キタ**えて病気を防ぐ。
22 桜の**ナエギ**を庭に植える。
23 善い行いを**ホ**められる。
24 今日は小春**ビヨリ**で暖かい。
25 **メス**のライオンが子育てをしている。

本試験型

準2級

第12回★テスト

〈60分〉

合計点

200点満点の　　点

- 140点以上 合格
- 110点以上 もう一度学習を
- 80点以上 猛勉強が必要
- 79点以下 受検級を考え直しましょう

1×30　　／30

(一) 次の――線の漢字の読みをひらがなで記せ。

1 真珠の養殖を家業としている。（　　）
2 厄介な問題が持ち上がった。（　　）
3 決勝戦で殊勲の逆転打を放った。（　　）
4 役所に扶養親族数を届け出る。（　　）
5 医師による迅速な対応が望ましい。（　　）
6 朝廷からの勅使を迎える。（　　）
7 予備校に模擬テストを受けに行く。（　　）
8 両者に妥協案を示す。（　　）
9 あの二人は昔から犬猿の仲だ。（　　）
10 大学には推薦入学で入った。（　　）
11 ハウス栽培のメロンを出荷する。（　　）
12 便せんとおそろいの封筒を買った。（　　）
13 兄は学校一の俊才だ。（　　）
14 竹は地下茎に養分を蓄える。（　　）
15 硫酸を使った実験をする。（　　）
16 火薬の製造に硝石を用いる。（　　）
17 大学の附属病院に入院した。（　　）
18 父は終日書斎にこもりきりだ。（　　）
19 大雨による洪水で家が流された。（　　）
20 美術大学で彫塑を学ぶ。（　　）
21 蚊の鳴くような声で答える。（　　）
22 相手の話を途中で遮る。（　　）

23 庭に石どうろうを据える。

24 なかなか隅に置けない人だ。

25 漢字検定一級に挑む。

26 熱弁に聴衆は大いに沸いた。

27 新しいスニーカーを履く。

28 引退後に自伝を書き著す。

29 母の白髪がめっきり増えた。

30 足袋のこはぜを留める。

(二)

1×10 　/10

次の漢字の**部首**を記せ。

〈例〉英〔艹〕　閉〔門〕

1 曹
2 申
3 喪
4 真
5 承
6 卓
7 壮
8 髪
9 替
10 占

(三)

2×10 　/20

熟語の構成のしかたには次のようなものがある。

ア 同じような意味の漢字を重ねたもの　**(破損)**
イ 反対または対応の意味を表す字を重ねたもの　**(増減)**
ウ 上の字が下の字を修飾しているもの　**(新人)**
エ 下の字が上の字の目的語・補語になっているもの　**(退場)**
オ 上の字が下の字の意味を打ち消しているもの　**(不吉)**

次の熟語は右の**ア～オ**のどれにあたるか、**一つ**選び、**記号**を記せ。

1 庶務（　）
2 奨学（　）

3 昇降（　　）
4 湖沼（　　）
5 端緒（　　）
6 叙景（　　）
7 未明（　　）
8 卵殻（　　）
9 余剰（　　）
10 偏見（　　）

問1 1/2×10
問2 2/2×5
/30

(四)

次の**四字熟語**について、問1と問2に答えよ。

問1 後の□内のひらがなを**漢字**にして□に入れ、**四字熟語**を完成せよ。□内のひらがなは一度だけ使い、□内に**一字記入**せよ。

ア 文人墨□1
イ 才色□2備
ウ 夫□3婦随
エ 多事多□4
オ 綱□5粛正
カ 率先垂□6
キ 複雑□7岐
ク □8中有閑
ケ 免許□9伝
コ 熟□10断行

かい・かく・き・けん・しょう・た
なん・はん・ぼう・りょ

問2 次の11～15の**意味**にあてはまるものを**問1のア～コの四字熟語**から**一つ**選び、**記号**で答えよ。

11 女性が優れた容姿と才能をあわせ持っていること。（　　）
12 自らすすんで手本となること。（　　）
13 よく考えた上で思い切って行うこと。（　　）
14 詩や絵画などにたずさわる人のこと。（　　）
15 乱れた規律などを正すこと。（　　）

2×10

/20

(五)

次の1～5の**対義語**、6～10の**類義語**を後の□の中から選び、**漢字**で記せ。□の中の語は一度だけ使うこと。

対義語

1 冷涼（　　）

2 諮問（　　）

3 尊大（　　）

4 霊魂（　　）

5 荘重（　　）

類義語

6 宰相（　　）

7 措置（　　）

8 本懐（　　）

9 悠久（　　）

10 周到（　　）

えいえん・おんだん・けいかい
けんきょ・しょり・そうり・とうしん
にくたい・にゅうねん・ねんがん

2×10

/20

(六)

次の――線の**カタカナ**を**漢字**に直せ。

1 **ダ**性で英会話学校に通っている。（　　）

2 都会に出て**ダ**落した生活を送る。（　　）

3 素晴らしい**チョウ**望が広がる。（　　）

4 友人宅に**チョウ**電を打った。（　　）

5 今月から**ホウ**給生活者となる。（　　）

6 きのこは**ホウ**子植物である。（　　）

7 記念に魚**タク**をとった。（　　）

8 週に二回洗**タク**をする。（　　）

9 失敗に**コ**りて彫金を断念する。（　　）

10 経験によって目が**コ**えてきた。（　　）

2×5

／10

(七)

次の各文にまちがって使われている**同じ読みの漢字が一字**ある。（　）内の**上に誤字を**、**下に正しい漢字**を記せ。

1　田に黄金色の稲穂が実り今年も一家総出で稲狩りする季節がやってきた。（　・　）

2　一か月余りの漂流生活から生還した漁師は衰弱していたが生命に別情はなかった。（　・　）

3　努力不足が原因で弱輩者に優勝杯をさらわれるとは誠に寒顔の至りだ。（　・　）

4　中途採用の新入社員たちは総務課長に案内され配属部署で自己称介を始めた。（　・　）

5　店舗数拡大計画を実現するため、連日連夜寸過を惜しんで仕事に専念している。（　・　）

2×5

／10

(八)

次の――線の**カタカナ**を**漢字一字と送りがな（ひらがな）**に直せ。

〈例〉空が**ハレル**。　晴れる

1　**アツカイ**の難しい客が来た。（　）

2　子供にまで良い影響を**オヨボス**。（　）

3　**ナゴヤカ**に会食が進んだ。（　）

4　連休中は車の流れが**トドコオル**。（　）

5　流行は**スタレル**のも早い。（　）

第12回

2×25

/50

(九) 次の——線のカタカナを漢字に直せ。

1 店員に**センヌ**きを借りる。（　　）
2 遭難者を**ソウサク**する。（　　）
3 **ノウム**のために離陸が遅れた。（　　）
4 今日は非常に**キゲン**が悪い。（　　）
5 昨日財布を**フンシツ**した。（　　）
6 ワイシャツを**ヒョウハク**する。（　　）
7 人間は自然**チユ**力を持っている。（　　）
8 海岸沿いを多数の**センパク**が行き交う。（　　）
9 十分な**ホウシュウ**を得ている。（　　）
10 **リョウテイ**で密談が行われた。（　　）
11 敵軍の様子を**テイサツ**する。（　　）
12 **コンダテ**を考えながら買い物をする。（　　）
13 **ガクフ**に音符を書き込む。（　　）
14 得意先のために**ベンギ**をはかる。（　　）
15 **ダイタン**な戦術で勝利する。（　　）
16 **アナド**って手痛い負けを喫した。（　　）
17 美人姉妹との**ホマ**れが高い。（　　）
18 人の言うことを**ダマ**って聞く。（　　）
19 **ナゴリ**惜しいがお別れだ。（　　）
20 この任務には危険が**トモナ**う。（　　）
21 段ボールをひもで**シバ**る。（　　）
22 視界が雲で**オオ**われた。（　　）
23 冬の登山では**ナダレ**に気を付ける。（　　）
24 **カゼ**を引かないよう手洗いをする。（　　）
25 母の日にカーネーションを**オク**る。（　　）

本試験型

準2級

第13回★テスト

〈60分〉

合計点

200点満点の　　点

- 140点以上 合格
- 110点以上 もう一度学習を
- 80点以上 猛勉強が必要
- 79点以下 受検級を考え直しましょう

（一）次の――線の漢字の読みをひらがなで記せ。

1×30　　/30

1 藩校で儒教の教えを説く。（　　）
2 空缶を他のごみと分別する。（　　）
3 通商条約が批准された。（　　）
4 部下の思い違いを懇懇と諭す。（　　）
5 家族で渓谷に紅葉を見に行く。（　　）
6 戦中の捕虜体験を語る。（　　）
7 凹レンズは近視鏡に用いる。（　　）
8 事態はますます紛糾した。（　　）
9 貴重な資料が震災で散逸する。（　　）
10 地場産業の振興に貢献する。（　　）
11 姉が念入りにお化粧している。（　　）
12 生物の授業でカエルを解剖する。（　　）
13 繊維質の食物をとるよう心がける。（　　）
14 さまざまな広告媒体の特質を調べる。（　　）
15 軍の統帥権を掌握する。（　　）
16 堕落した生活を立て直す。（　　）
17 愉快な仲間に囲まれている。（　　）
18 プロ野球選手は年俸契約だ。（　　）
19 朕は皇帝の一人称である。（　　）
20 それを行うには時期尚早だ。（　　）
21 風薫る季節がやってきた。（　　）
22 見るに堪えない光景だ。（　　）

23 二つの事件を併せて考える。（　　）
24 閲覧した本を書架に戻す。（　　）
25 蛇いちごは食用とされない。（　　）
26 杉の花粉が飛散している。（　　）
27 垣根に白い花が咲いている。（　　）
28 終電車に乗り損なう。（　　）
29 腕相撲ならだれにも負けない。（　　）
30 かたき討ちの助太刀を頼む。（　　）

(二)

1×10　／10

次の漢字の**部首**を記せ。

〈例〉 英〔艹〕　閉〔門〕

1 奪（　　）
2 奏（　　）
3 泰（　　）
4 束（　　）
5 率（　　）
6 衷（　　）
7 弔（　　）
8 丹（　　）
9 缶（　　）
10 致（　　）

(三)

2×10　／20

熟語の構成のしかたには次のようなものがある。

ア 同じような意味の漢字を重ねたもの（**破損**）
イ 反対または対応の意味を表す字を重ねたもの（**増減**）
ウ 上の字が下の字を修飾しているもの（**新人**）
エ 下の字が上の字の目的語・補語になっているもの（**退場**）
オ 上の字が下の字の意味を打ち消しているもの（**不吉**）

次の熟語は右の**ア**〜**オ**のどれにあたるか、**一つ**選び、**記号**を記せ。

1 存廃（　）
2 無縁（　）

3 土壌（　　）

4 殺菌（　　）

5 逝去（　　）

6 迅速（　　）

7 覇者（　　）

8 昇天（　　）

9 素描（　　）

10 伸縮（　　）

問1 1/2×10
問2 2/2×5

/30

(四)

次の**四字熟語**について、問1と問2に答えよ。

問1 後の□内のひらがなを**漢字**にして□に入れ、**四字熟語**を完成せよ。□内のひらがなは一度だけ使い、□内に**一字記入**せよ。

ア 二人三 1 □

イ 2 □善懲悪

ウ 3 □風満帆

カ 同 6 □異夢

キ 7 □言隻句

ク 8 □励努力

エ 和洋 4 □衷

オ 中途半 5 □

ケ 美人 9 □命

コ 唯 10 □独尊

が・かん・きゃく・じゅん・しょう
せっ・ぱ・はく・ふん・へん

問2 次の11〜15の**意味**にあてはまるものを問1のア〜**コの四字熟語**から**一つ**選び、**記号**で答えよ。

11 物事がすべてうまくいっているさま。（　　）

12 日本と西洋の様式をほどよく取り入れること。（　　）

13 美人はとかく不運で短命であること。（　　）

14 気力をふるい起こして頑張ること。（　　）

15 同じ仲間でも意見や目的が異なること。（　　）

2×10
/20

(五)

次の1〜5の**対義語**、6〜10の**類義語**を後の□の中から選び、**漢字**で記せ。□の中の語は一度だけ使うこと。

対義語

1 虚偽（　　）
2 防衛（　　）
3 干渉（　　）
4 撤去（　　）
5 浮華（　　）

類義語

6 四肢（　　）
7 嘱望（　　）
8 根拠（　　）
9 忍耐（　　）
10 貯蔵（　　）

がまん・きたい・こうげき・しつじつ
しんじつ・せっち・てあし・びちく
ほうにん・りゆう

2×10
/20

(六)

次の――線の**カタカナ**を**漢字**に直せ。

1 試合で守備のまずさが露**テイ**した。（　　）
2 ボートを**テイ**庫に納める。（　　）
3 国王の馬車に**バイ**乗する。（　　）
4 研究室で細菌の**バイ**養を行う。（　　）
5 先**テツ**の知恵を現代に生かす。（　　）
6 役員の更**テツ**が発表された。（　　）
7 追**トウ**号が今日発行された。（　　）
8 人気沸**トウ**で品切れ状態だ。（　　）
9 かばんに本を**ツ**め込む。（　　）
10 冬に大量の大根を**ツ**け込む。（　　）

2×5

□ /10

(七)

次の各文にまちがって使われている**同じ読みの漢字**が**一字**ある。（　）内の**上**に**誤字**を、**下に正しい漢字**を記せ。

1 食品を購入する際は賞味期限や点加物の表示を確認することが大切だ。（　・　）

2 快晴の空の下運動会で園児たちが練習を重ねてきた遊技を披露した。（　・　）

3 容疑者の自供から白骨化した遺体と狂器が林の中から発見された。（　・　）

4 金融引き締めにより会社の倒産が相次ぎわが家庭にも波久してきた。（　・　）

5 人質解放の知らせに、他県から駆け付けた家族たちは一斉に喚呼の声を上げた。（　・　）

2×5

□ /10

(八)

次の——線の**カタカナ**を**漢字一字**と**送りがな（ひらがな）**に直せ。

〈例〉空が**ハレル**。　晴れる

1 子供達が**ホガラカ**に笑っている。（　）

2 地震で家が**コワレル**。（　）

3 自らを**イマシメ**て業務にあたる。（　）

4 初心を最後まで**ツラヌク**。（　）

5 観衆の目を**アザムク**。（　）

第13回

2×25

/50

(九) 次の——線のカタカナを漢字に直せ。

1 許可を得るために**ホンソウ**する。（　　）

2 思いついた条件を**ラレツ**した。（　　）

3 **シュウレイ**な富士を仰ぐ。（　　）

4 祖父は波乱万丈の**ショウガイ**を送った。（　　）

5 **ムボウ**な試みと非難される。（　　）

6 **ミリョク**的な風景写真を見る。（　　）

7 城の一室に**ユウヘイ**されている。（　　）

8 **ゼンシュウ**は鎌《かま》倉時代に日本に伝わった。（　　）

9 船が**アンショウ**に乗り上げてしまう。（　　）

10 **スウコウ**な目的を掲げる。（　　）

11 勢力が**キンコウ**している。（　　）

12 北海道で**ラクノウ**を営む。（　　）

13 不法入国者が強制**ソウカン**される。（　　）

14 家族の中で**ソガイ**感を味わう。（　　）

15 **ドクセン**取材の権利を得た。（　　）

16 大通りの**ヤナギ**の並木が見事だ。（　　）

17 **ツブ**よりの選手を集める。（　　）

18 日めくりの**コヨミ**をもらった。（　　）

19 茶わんの**フチ**が欠けていた。（　　）

20 **アズキ**色の帯をしめる。（　　）

21 **マタ**聞きした不確かな情報だ。（　　）

22 電車に**カサ**を忘れてしまった。（　　）

23 腰を**ス**えて話を聞く。（　　）

24 不思議な動きに**マド**わされる。（　　）

25 ヨットが**オキ**のほうに見える。（　　）

本試験型

準2級

第14回★テスト

〈60分〉

合計点

200点満点の　　　点

- 140点以上　合格
- 110点以上　もう一度学習を
- 80点以上　猛勉強が必要
- 79点以下　受検級を考え直しましょう

1×30　　／30

(一) 次の——線の漢字の読みをひらがなで記せ。

1 今日は亡父の祥月命日だ。（　　）
2 原油高により物価が高騰する。（　　）
3 病院で人工透析を受けている。（　　）
4 囚人の行動に目を光らせる。（　　）
5 商品テストで欠陥品が見つかった。（　　）
6 大学で高校教諭の免許を取る。（　　）
7 自著を知人に進呈する。（　　）
8 実力伯仲の二チームが対戦する。（　　）
9 消防隊員が殉職した。（　　）
10 蛍光灯の管を取りかえる。（　　）
11 国会召集の詔書が発せられる。（　　）
12 貧窮生活に耐えて大成した。（　　）
13 熟睡していたので気付かなかった。（　　）
14 紡績工場を海外に移転する。（　　）
15 惰性に流された生活を反省する。（　　）
16 近代絵画の系譜をたどる。（　　）
17 インターネットで検索する。（　　）
18 側溝にふたを取り付ける。（　　）
19 老翁の語る昔話を聞いた。（　　）
20 涼風に季節の移ろいを感じる。（　　）
21 卵の殻を工作の材料に使う。（　　）
22 「醜いアヒルの子」はアンデルセンの作品だ。（　　）

23 郊外の土地を三百坪買った。（　）
24 猫の首輪に鈴をつける。（　）
25 栄養が偏らないように注意しよう。（　）
26 歯茎を丈夫にしておくことも大切だ。（　）
27 畝編みのセーターを着る。（　）
28 大海原に舟をこぎ出す。（　）
29 位人臣を極める。（　）
30 尾頭付きのタイで祝う。（　）

1×10

/10

(二)

次の漢字の**部首**を記せ。

〈例〉 英〔艹〕　閉〔門〕

1 弐（　）
2 卑（　）

6 弟（　）
7 東（　）

3 呈（　）
4 兆（　）
5 貞（　）

8 凸（　）
9 醜（　）
10 騰（　）

2×10

/20

(三)

熟語の構成のしかたには次のようなものがある。

ア 同じような意味の漢字を重ねたもの　**（破損）**
イ 反対または対応の意味を表す字を重ねたもの　**（増減）**
ウ 上の字が下の字を修飾しているもの　**（新人）**
エ 下の字が上の字の目的語・補語になっているもの　**（退場）**
オ 上の字が下の字の意味を打ち消しているもの　**（不吉）**

次の熟語は右の**ア～オ**のどれにあたるか、**一つ**選び、**記号**を記せ。

1 遷都（　）
2 推薦（　）

3 疎密（　）
4 禅僧（　）
5 添削（　）
6 盗塁（　）
7 未到（　）
8 捜索（　）
9 漸進（　）
10 繊細（　）

(四) 次の**四字熟語**について、問1と問2に答えよ。

問1 1/2×10
問2 2/2×5
□ /30

問1

後の□内のひらがなを**漢字**にして□に入れ、**四字熟語**を完成せよ。□内のひらがなは一度だけ使い、□内に**一字記入**せよ。

ア □1行無常
イ 粉□2決算
ウ □3胆小心
エ 悠悠自□4
オ 紳□5淑女
カ □6楽往生
キ 夜□7自大
ク 冷□8三斗
ケ 不□9不離
コ 明哲□10身

かん・ごく・し・しょ・しょく
そく・てき・ほ・ほう・ろう

問2

次の11～15の**意味**にあてはまるものを問1の**ア～コの四字熟語**から**一つ**選び、**記号**で答えよ。

11 非常に恥ずかしい思いをしたり怖い目にあうこと。（　）
12 ゆったりとした気持ちで過ごすこと。（　）
13 自分の力量も考えずに偉ぶること。（　）
14 この世のすべての事物は常に変化しているということ。（　）
15 つかず離れずの間柄を保つこと。（　）

2×10 ／20

(五)

次の1～5の**対義語**、6～10の**類義語**を後の□の中から選び、**漢字**で記せ。□の中の語は一度だけ使うこと。

対義語

1 高尚（　　）
2 反抗（　　）
3 緩慢（　　）
4 冗長（　　）
5 陪臣（　　）

類義語

6 首肯（　　）
7 布教（　　）
8 体裁（　　）
9 不審（　　）
10 地味（　　）

がいぶん・かんけつ・ぎわく・じきさん
しっそ・ていれつ・でんどう・なっとく
びんそく・ふくじゅう

2×10 ／20

(六)

次の——線の**カタカナ**を**漢字**に直せ。

1 奇**セキ**的に命が助かった。（　　）
2 **セキ**別の宴を催す。（　　）

3 春夏連**パ**の快挙を達成する。（　　）
4 敵のたくらみを看**パ**する。（　　）

5 隣国に**テイ**察機を飛ばす。（　　）
6 凶悪犯罪が**テイ**増傾向にある。（　　）

7 食器**ハン**布会の案内状をもらう。（　　）
8 夫人同**ハン**で出席する。（　　）

9 洗濯物がよく**カワ**く。（　　）
10 話しすぎてのどが**カワ**いた。（　　）

2×5

/10

(七)

次の各文にまちがって使われている**同じ読みの漢字**が**一字**ある。（　）内の**上**に**誤字**を、**下に正しい漢字**を記せ。

1 今年の野球部員は精鋭ぞろいでレギュラー選手と捕欠選手の実力は伯仲している。（　・　）

2 江戸時代から経承されてきた貴重な家宝を遠い親類が勝手に処分した。（　・　）

3 会社では鬼軍曹の異名を持つ営業部長だが家庭では名だたる強妻家である。（　・　）

4 有名な教授の講義なので期待したが眠気を催すような退掘なものであった。（　・　）

5 バスの運転手が突如峡心症の発作に見舞われたが乗客の機転で事故は免れた。（　・　）

2×5

/10

(八)

次の――線の**カタカナ**を**漢字一字と送りがな（ひらがな）**に直せ。

〈例〉空が**ハレル**。　晴れる

1 子供を**アマヤカス**親が多い。（　）

2 **タノモシイ**男性に出会った。（　）

3 上司の機嫌を**ソコネル**。（　）

4 生産地を**イツワッ**て出荷する。（　）

5 **アワテ**て旅行の準備をする。（　）

第14回

2×25

/50

(九) 次の――線の**カタカナ**を**漢字**に直せ。

1 遊園地は**カンサン**としていた。
2 友人からの要求を**キョゼツ**する。
3 仲直りの**アクシュ**をした。
4 職権の**ランヨウ**を問いただす。
5 秋になると**シュリョウ**が解禁される。
6 人間には体を守る**メンエキ**力がある。
7 **セットウ**犯を捕まえる。
8 理不尽な要求に**フンガイ**する。
9 **チン**は国家なり。
10 暑さで体力を**ショウモウ**する。
11 地域への**コウケン**を評価される。
12 一生**ケンメイ**努力したが失敗に終わった。
13 **ジッパ**一絡《から》げとして考える。
14 社長の判断は**ダトウ**だと思う。
15 **コウミョウ**な手口でだまされる。
16 病人をやさしく**アツカ**う。
17 両国間に暗い**カゲ**を落とす。
18 小雨に**ケム**る町中を急ぐ。
19 **ホガ**らかな笑い声がひびく。
20 子供を**ウバ**車に乗せる。
21 **カゼ**をひいて学校を休む。
22 財務大臣が**カワセ**介入を行った。
23 小説の**サシエ**を描く。
24 **オオスジ**のところで合意に至る。
25 **スデ**に電車は出発してしまった。

本試験型 準2級 第15回★テスト

〈60分〉

合計点

200点満点の　　点

- 140点以上 合格
- 110点以上 もう一度学習を
- 80点以上 猛勉強が必要
- 79点以下 受検級を考え直しましょう

1×30　／30

(一) 次の――線の**漢字の読み**を**ひらがな**で記せ。

1 循環バスは市民の足だ。（　　）
2 職場の同僚と旅行する。（　　）
3 大国の間で勢力の均衡を保つ。（　　）
4 証人として法廷で証言をする。（　　）
5 将来に禍根を残す決定だ。（　　）
6 酢酸は調味料の原料となる。（　　）
7 奨学金を得て大学に進学した。（　　）
8 病気はおかげさまで快癒した。（　　）
9 路面に凹凸があって歩きにくい。（　　）
10 これは後世に残る傑作だ。（　　）
11 侮辱を受けて深く傷付く。（　　）
12 始業式で校歌を斉唱する。（　　）
13 昔なつかしい駄菓子を買った。（　　）
14 心臓の疾患を専門としている。（　　）
15 兄にはすぐれた洞察力がある。（　　）
16 港に各国の船舶が出入りしている。（　　）
17 医学界の泰斗として尊敬されている。（　　）
18 西方に起こった文化が東漸する。（　　）
19 友人の素朴な人柄を愛する。（　　）
20 このたびの受賞は慶賀にたえない。（　　）
21 炎のように激しい感情が渦巻く。（　　）
22 卒業式で「蛍の光」を歌う。（　　）

第15回

23 吹き抜ける浦風に潮の香りがする。（　）
24 頂上からの眺めに息をのむ。（　）
25 変わらぬ友情を誓い合う。（　）
26 速やかに現場に向かった。（　）
27 みそ汁の実は豆腐とねぎだ。（　）
28 小言を柳に風と受け流す。（　）
29 竹刀を上段に構える。（　）
30 田舎に住む祖父母をたずねる。（　）

（二）

1×10

/10

次の漢字の**部首**を記せ。

〈例〉 英〔艹〕 閉〔門〕

1 屯（　）
2 慶（　）
3 年（　）
4 舗（　）
5 覇（　）
6 売（　）
7 慕（　）
8 美（　）
9 扉（　）
10 奉（　）

（三）

2×10

/20

熟語の構成のしかたには次のようなものがある。

ア 同じような意味の漢字を重ねたもの　（**破損**）
イ 反対または対応の意味を表す字を重ねたもの　（**増減**）
ウ 上の字が下の字を修飾しているもの　（**新人**）
エ 下の字が上の字の目的語・補語になっているもの　（**退場**）
オ 上の字が下の字の意味を打ち消しているもの　（**不吉**）

次の熟語は右の**ア～オ**のどれにあたるか、**一つ**選び、**記号**を記せ。

1 挑戦（　）
2 孤立（　）

3 配慮（　）
4 堕落（　）
5 愛憎（　）
6 未刊（　）
7 去就（　）
8 珠玉（　）
9 駄作（　）
10 洗濯（　）

問1 1/2×10
問2 2/2×5
□ /30

(四)

次の**四字熟語**について、問1と問2に答えよ。

問1 後の□内のひらがなを**漢字**にして□に入れ、**四字熟語**を完成せよ。□内のひらがなは一度だけ使い、□内に**一字記入**せよ。

ア 面目1□如
イ 2□若無人
ウ 炉3□談話
エ 滅私奉4□
オ 閑5□休題

カ 用意周6□
キ 勇7□果敢
ク 8□酷非道
ケ 優9□不断
コ 時期尚10□

こう・ざん・じゅう・そう・とう
へん・ぼう・もう・やく・わ

問2 次の11～15の**意味**にあてはまるものを問1のア～**コの四字熟語**から**一つ**選び、**記号**で答えよ。

11 世間の評価どおりの仕事ぶりであること。（　）
12 いさましくて強く決断力のあること。（　）
13 むだ話をやめ本題にもどること。（　）
14 自分の利益や欲望を捨て国や社会のために尽くすこと。（　）
15 ぐずぐずして決断力にとぼしいこと。（　）

2×10
／20

(五)

次の1～5の**対義語**、6～10の**類義語**を後の□の中から選び、**漢字**で記せ。□の中の語は一度だけ使うこと。

対義語

1 購入（　　）
2 雌伏（　　）
3 隆起（　　）
4 卑下（　　）
5 概略（　　）

類義語

6 俊英（　　）
7 悠長（　　）
8 旅費（　　）
9 精髄（　　）
10 奔走（　　）

きなが・じまん・しょうさい・じんりょく
ちんこう・はんばい・ほんしつ
ゆうしゅう・ゆうひ・ろぎん

2×10
／20

(六)

次の——線の**カタカナ**を**漢字**に直せ。

1 父は生涯を清**ヒン**に生きた。（　　）
2 会場に**ヒン**客が次々に到着した。（　　）

3 五線**フ**に符号を書き記す。（　　）
4 公的**フ**助を受けて生計を立てる。（　　）

5 甲、乙の次は**ヘイ**である。（　　）
6 国家が貨**ヘイ**を鋳造する。（　　）

7 まことに含**チク**のある言葉だ。（　　）
8 ライバルとの角**チク**が激化した。（　　）

9 政局が**アワ**ただしくなってきた。（　　）
10 卵の白身を**アワ**立てる。（　　）

2×5

/10

（七）

次の各文にまちがって使われている**同じ読みの漢字**が**一字**ある。（　）内の**上に誤字**を、**下に正しい漢字**を記せ。

1　還暦を迎えたが血気盛んで古淡の境地に達するのはまだ当分先のようだ。（　・　）

2　患者の呼吸が急に粗くなったが適切な処置を受けて落ち着いた。（　・　）

3　執筆を頼んだ作家の口座に源泉税を差し引いて原校料を振り込んだ。（　・　）

4　政情不安に陥っている某国は空港と近隣の道路を一時的に封査した。（　・　）

5　坑生物質は医薬品以外にも農薬や飼料添加物として使用されている。（　・　）

2×5

/10

（八）

次の――線の**カタカナ**を**漢字一字と送りがな（ひらがな）**に直せ。

〈例〉空が**ハレル**。　晴れる

1　**オソロシイ**勢いで水位が上がる。（　　）

2　兄はとても肝が**スワッ**ている。（　　）

3　突然のサイレンに**オドロク**。（　　）

4　**ワズラワシイ**手続きを簡略化した。（　　）

5　荷物をひもで**ユワエル**。（　　）

2×25

／50

(九) 次の――線のカタカナを漢字に直せ。

1 弟は**カモク**な性格をしている。（　）

2 市場で魚を**ギンミ**する。（　）

3 傷口を**ホウゴウ**する。（　）

4 わき目も振らず仕事に**ボットウ**する。（　）

5 花の香りの成分を**チュウシュツ**する。（　）

6 部下を**ショウアク**する。（　）

7 販売数の**ルイケイ**は一億個を突破した。（　）

8 **イチマツ**の不安を覚える。（　）

9 **テイシン**省は総務省の前身の一つだ。（　）

10 **テツヤ**でテスト勉強をする。（　）

11 病院の**シンサツ**時間は五時までだ。（　）

12 母は**ユウフク**な家庭で育った。（　）

13 常軌を**イッ**した行動に驚く。（　）

14 イノシシが通った**ケイセキ**がある。（　）

15 彼の描く絵に**ミリョウ**される。（　）

16 校庭で**タツマキ**が発生した。（　）

17 どの花も**ミナ**美しい。（　）

18 ワイングラスは**コワ**れやすい。（　）

19 雨の**シズク**を手に受ける。（　）

20 観念して**マナコ**を閉じる。（　）

21 **ムスコ**の嫁はよく気がつく。（　）

22 **モヨ**り駅から家まで徒歩五分だ。（　）

23 祭**タビ**を履いて神輿《みこし》を担ぐ。（　）

24 **ツ**り糸を垂れてあたりを待つ。（　）

25 水を飲んだ後に**クチビル**をぬぐう。（　）

(一) 読み (1×30)

10	9	8	7	6	5	4	3	2	1

20	19	18	17	16	15	14	13	12	11

30	29	28	27	26	25	24	23	22	21

(二) 部首 (1×10)

10	9	8	7	6	5	4	3	2	1

(三) 熟語の構成 (2×10)

10	9	8	7	6	5	4	3	2	1

(四) 四字熟語 (2×15)

10	9	8	7	6	5	4	3	2	1

15	14	13	12	11

第（　　）回テスト答案用紙

／200点

10	9	8	7	6	5	4	3	2	1	(五)
										対義語 類義語 (2×10)

10	9	8	7	6	5	4	3	2	1	(六)
										同音・同訓異字 (2×10)

5	4	3	2	1	(七)
・	・	・	・	・	誤字訂正 (2×5)

5	4	3	2	1	(八)
					漢字と送りがな (2×5)

10	9	8	7	6	5	4	3	2	1	(九)
										書き取り
20	19	18	17	16	15	14	13	12	11	
					25	24	23	22	21	
										(2×25)

※コピーしてお使いください。

準2級配当漢字表

三二八字ある準2級配当漢字をしっかりと覚えましょう。

◀画数
◀漢字
◀読み　カタカナは音、ひらがなは訓、赤刷りは送りがな。
◀部首
◀部首名
◀用例　( )の中にある用例は特別な読みです。

	画数	漢字	読み	部首	部首名	用例
ア	7	亜	ア	二	に	亜鉛《あえん》・亜流《ありゅう》 亜熱帯《あねったい》・東亜《とうあ》
イ	11	尉	イ	寸	すん	尉官《いかん》・一尉《いちい》 大尉《たいい》・陸尉《りくい》
	11	逸	イツ	辶	しんにょう しんにゅう	逸話《いつわ》・逸品《いっぴん》 常軌《じょうき》を逸《いっ》する
	9	姻	イン	女	おんなへん	姻族《いんぞく》 婚姻《こんいん》
	19	韻	イン	音	おと	韻律《いんりつ》・韻文《いんぶん》 音韻《おんいん》・余韻《よいん》
ウ	10	畝	うね	田	た	畝織《うねおり》 畝作《うねづく》り
	10	浦	うら	氵	さんずい	浦里《うらざと》・浦風《うらかぜ》 津津《つつ》浦浦《うらうら》
エ	9	疫	エキ ヤク	疒	やまいだれ	疫病《えきびょう》・免疫《めんえき》 検疫《けんえき》・疫病神《やくびょうがみ》
	15	謁	エツ	言	ごんべん	謁見《えっけん》・拝謁《はいえつ》 謁《えっ》する
	13	猿	エン さる	犭	けものへん	野猿《やえん》・類人猿《るいじんえん》 猿芝居《さるしばい》
オ	5	凹	オウ	凵	うけばこ	凹凸《おうとつ》・凹面鏡《おうめんきょう》 凹版《おうばん》・(凸凹《でこぼこ》)
	10	翁	オウ	羽	はね	老翁《ろうおう》
	13	虞	おそれ	虍	とらがしら とらかんむり	大雨《おおあめ》の虞《おそれ》あり 津波《つなみ》の虞《おそれ》あり
カ	12	渦	カ うず	氵	さんずい	渦中《かちゅう》 渦潮《うずしお》・渦巻《うずま》き
	13	禍	カ	礻	しめすへん	禍福《かふく》・禍根《かこん》 災禍《さいか》・舌禍《ぜっか》
	13	靴	カ くつ	革	かわへん	製靴《せいか》 靴下《くつした》・革靴《かわぐつ》
	14	寡	カ	宀	うかんむり	寡黙《かもく》・寡婦《かふ》 寡聞《かぶん》・多寡《たか》
	15	稼	カ かせぐ	禾	のぎへん	稼業《かぎょう》・稼働《かどう》 稼《かせ》ぎ高《だか》
	10	蚊	か	虫	むしへん	蚊柱《かばしら》・やぶ蚊《か》 (蚊帳《かや》)
	8	拐	カイ	扌	てへん	拐帯《かいたい》 誘拐《ゆうかい》
	16	懐	カイ ふところ なつかしい なつかしむ なつく なつける	忄	りっしんべん	懐中《かいちゅう》・懐疑《かいぎ》 本懐《ほんかい》を遂《と》げる 懐刀《ふところがたな》 昔《むかし》が懐《なつ》かしい
	8	劾	ガイ	力	ちから	弾劾《だんがい》
	11	涯	ガイ	氵	さんずい	生涯《しょうがい》・天涯《てんがい》 境涯《きょうがい》
	9	垣	かき	土	つちへん	垣根《かきね》・石垣《いしがき》 人垣《ひとがき》・生《い》け垣《がき》
	10	核	カク	木	きへん	核心《かくしん》・核家族《かくかぞく》 核兵器《かくへいき》
	11	殻	カク から	殳	るまた ほこづくり	甲殻《こうかく》・地殻《ちかく》 貝殻《かいがら》・抜《ぬ》け殻《がら》
	17	嚇	カク	口	くちへん	威嚇《いかく》
	9	括	カツ	扌	てへん	括弧《かっこ》・一括《いっかつ》 包括《ほうかつ》・総括《そうかつ》
	11	喝	カツ	口	くちへん	喝破《かっぱ》・一喝《いっかつ》 恐喝《きょうかつ》
	11	渇	カツ かわく	氵	さんずい	渇望《かつぼう》・渇水《かっすい》 のどが渇《かわ》く
	13	褐	カツ	衤	ころもへん	褐色《かっしょく》・茶褐色《ちゃかっしょく》 褐炭《かったん》

	17	轄	カツ	車	くるまへん	管轄《かんかつ》・所轄《しょかつ》 直轄《ちょっかつ》・統轄《とうかつ》
	5	且	かつ	一	いち	飲《の》み且《か》つ食《く》う 且《か》つ又《また》
	6	缶	カン	缶	ほとぎ	缶詰《かんづめ》・製缶《せいかん》 空缶《あきかん》・缶切《かんき》り
	10	陥	カン おちいる おとしいれる	阝	こざとへん	陥没《かんぼつ》・陥《おちい》る 人を陥《おとしい》れる
	11	患	カン わずらう	心	こころ	患者《かんじゃ》・疾患《しっかん》 長患《ながわずら》い
	12	堪	カン たえる	土	つちへん	堪忍《かんにん》 見《み》るに堪《た》えない
	12	棺	カン	木	きへん	棺《かん》おけ 石棺《せっかん》・出棺《しゅっかん》
	12	款	カン	欠	あくび かける	定款《ていかん》・借款《しゃっかん》 落款《らっかん》・約款《やっかん》
	12	閑	カン	門	もんがまえ	閑静《かんせい》・閑散《かんさん》 安閑《あんかん》・森閑《しんかん》
	13	寛	カン	宀	うかんむり	寛大《かんだい》・寛容《かんよう》 寛厳《かんげん》
	16	憾	カン	忄	りっしんべん	遺憾《いかん》
	16	還	カン	辶	しんにょう しんにゅう	還元《かんげん》・還付《かんぷ》 生還《せいかん》・返還《へんかん》
	21	艦	カン	舟	ふねへん	艦船《かんせん》・艦隊《かんたい》 軍艦《ぐんかん》・戦艦《せんかん》
	13	頑	ガン	頁	おおがい	頑強《がんきょう》・頑健《がんけん》 頑固《がんこ》・頑迷《がんめい》
キ	10	飢	キ うえる	飠	しょくへん	飢餓《きが》 愛情《あいじょう》に飢《う》える
	8	宜	ギ	宀	うかんむり	適宜《てきぎ》・便宜《べんぎ》 時宜《じぎ》
	11	偽	ギ いつわる にせ	亻	にんべん	偽名《ぎめい》・真偽《しんぎ》 偽《いつわ》る・偽札《にせさつ》
	17	擬	ギ	扌	てへん	擬音《ぎおん》・模擬《もぎ》 擬人法《ぎじんほう》
	9	糾	キュウ	糸	いとへん	糾弾《きゅうだん》・糾問《きゅうもん》 糾明《きゅうめい》・紛糾《ふんきゅう》
	15	窮	キュウ きわめる きわまる	穴	あなかんむり	窮地《きゅうち》・窮屈《きゅうくつ》 進退窮《しんたいきわ》まる
	8	拒	キョ こばむ	扌	てへん	拒絶《きょぜつ》・拒否《きょひ》 申《もう》し出《で》を拒《こば》む
	8	享	キョウ	亠	なべぶた けいさんかんむり	享有《きょうゆう》・享受《きょうじゅ》 享楽《きょうらく》・享年《きょうねん》
	9	挟	キョウ はさむ はさまる	扌	てへん	挟撃《きょうげき》 口《くち》を挟《はさ》む
	10	恭	キョウ うやうやしい	小	したごころ	恭賀《きょうが》・恭順《きょうじゅん》 恭《うやうや》しく最敬礼《さいけいれい》
	17	矯	キョウ ためる	矢	やへん	矯正《きょうせい》・奇矯《ききょう》 角《つの》を矯《た》める
	12	暁	ギョウ あかつき	日	ひへん	暁光《ぎょうこう》・今暁《こんぎょう》 成功《せいこう》の暁《あかつき》には
	11	菌	キン	艹	くさかんむり	細菌《さいきん》・殺菌《さっきん》 保菌者《ほきんしゃ》・無菌《むきん》
	12	琴	キン こと	王	おう	琴線《きんせん》・木琴《もっきん》 大正琴《たいしょうごと》
	17	謹	キン つつしむ	言	ごんべん	謹賀《きんが》・謹慎《きんしん》 謹《つつし》んで拝聴《はいちょう》
	18	襟	キン えり	衤	ころもへん	開襟《かいきん》 襟《えり》を正《ただ》す
	7	吟	ギン	口	くちへん	吟味《ぎんみ》・詩吟《しぎん》 苦吟《くぎん》
ク	12	隅	グウ すみ	阝	こざとへん	一隅《いちぐう》・辺隅《へんぐう》 片隅《かたすみ》・隅隅《すみずみ》
	15	勲	クン	力	ちから	勲功《くんこう》・勲章《くんしょう》 殊勲《しゅくん》・叙勲《じょくん》
	16	薫	クン かおる	艹	くさかんむり	薫風《くんぷう》・薫陶《くんとう》 風薫《かぜかお》る五月《ごがつ》
ケ	8	茎	ケイ くき	艹	くさかんむり	球茎《きゅうけい》・地下茎《ちかけい》 歯茎《はぐき》・花《はな》の茎《くき》
	11	渓	ケイ	氵	さんずい	渓谷《けいこく》・渓流《けいりゅう》 渓水《けいすい》・雪渓《せっけい》

画数	漢字	読み	部首	部首名	用例
11	蛍	ケイ ほたる	虫	むし	蛍雪《けいせつ》の功《こう》 蛍《ほたる》の光《ひかり》・蛍火《ほたるび》
15	慶	ケイ	心	こころ	慶弔《けいちょう》・慶賀《けいが》 慶祝《けいしゅく》・大慶《たいけい》
13	傑	ケツ	亻	にんべん	傑物《けつぶつ》・傑作《けっさく》 豪傑《ごうけつ》・怪傑《かいけつ》
13	嫌	ケン ゲン きらう いや	女	おんなへん	嫌悪《けんお》・機嫌《きげん》 嫌《きら》う・嫌《いや》な顔《かお》
13	献	ケン コン	犬	いぬ	献上《けんじょう》・献身的《けんしんてき》 献立《こんだて》・一献《いっこん》
17	謙	ケン	言	ごんべん	謙虚《けんきょ》・謙譲《けんじょう》 謙辞《けんじ》
18	顕	ケン	頁	おおがい	顕著《けんちょ》・顕彰《けんしょう》 顕微鏡《けんびきょう》・顕示《けんじ》
18	繭	ケン まゆ	糸	いと	繭糸《けんし》 繭玉《まゆだま》
20	懸	ケン ケ かける かかる	心	こころ	懸命《けんめい》・懸念《けねん》 賞金《しょうきん》を懸《か》ける
8	弦	ゲン つる	弓	ゆみへん	弦楽《げんがく》・上弦《じょうげん》 弦《つる》を放《はな》れた矢《や》
7 コ	呉	ゴ	口	くち	呉服《ごふく》・呉音《ごおん》 呉越同舟《ごえつどうしゅう》
13	碁	ゴ	石	いし	碁石《ごいし》・碁盤《ごばん》 囲碁《いご》・置《お》き碁《ご》
6	江	コウ え	氵	さんずい	長江《ちょうこう》 入《い》り江《え》・江戸《えど》
8	肯	コウ	肉	にく	肯定《こうてい》 首肯《しゅこう》
9	侯	コウ	亻	にんべん	諸侯《しょこう》・王侯《おうこう》 藩侯《はんこう》
9	洪	コウ	氵	さんずい	洪水《こうずい》・洪積層《こうせきそう》 洪大《こうだい》
10	貢	コウ ク みつぐ	貝	かい こがい	貢献《こうけん》・年貢《ねんぐ》 貢《みつ》ぎ物《もの》
13	溝	コウ みぞ	氵	さんずい	下水溝《げすいこう》・排水溝《はいすいこう》 敷居《しきい》の溝《みぞ》
16	衡	コウ	行	ぎょうがまえ ゆきがまえ	均衡《きんこう》・平衡《へいこう》 度量衡《どりょうこう》
17	購	コウ	貝	かいへん	購入《こうにゅう》・購買《こうばい》 購読《こうどく》
9	拷	ゴウ	扌	てへん	拷問《ごうもん》
10	剛	ゴウ	刂	りっとう	剛健《ごうけん》・剛直《ごうちょく》 外柔内剛《がいじゅうないごう》
14	酷	コク	酉	とりへん	酷似《こくじ》・酷暑《こくしょ》 残酷《ざんこく》・冷酷《れいこく》
8	昆	コン	日	ひ	昆虫《こんちゅう》 昆布《こんぶ(こぶ)》
17	懇	コン ねんごろ	心	こころ	懇切《こんせつ》・懇親会《こんしんかい》 懇《ねんご》ろな交際《こうさい》
10 サ	唆	サ そそのかす	口	くちへん	教唆《きょうさ》・示唆《しさ》 悪事《あくじ》を唆《そそのか》す
12	詐	サ	言	ごんべん	詐欺《さぎ》・詐取《さしゅ》 詐称《さしょう》
9	砕	サイ くだく くだける	石	いしへん	砕石《さいせき》・粉砕《ふんさい》 心《こころ》を砕《くだ》く
10	宰	サイ	宀	うかんむり	宰領《さいりょう》・宰相《さいしょう》 主宰《しゅさい》
10	栽	サイ	木	キ	栽培《さいばい》・盆栽《ぼんさい》 植栽《しょくさい》
11	斎	サイ	斉	せい	斎場《さいじょう》・斎主《さいしゅ》 潔斎《けっさい》・書斎《しょさい》
10	索	サク	糸	いと	索引《さくいん》・思索《しさく》 暗中模索《あんちゅうもさく》
12	酢	サク す	酉	とりへん	酢酸《さくさん》 酢《す》の物《もの》・梅酢《うめず》
10	桟	サン	木	きへん	桟橋《さんばし》・桟道《さんどう》 (桟敷《さじき》)
12	傘	サン かさ	人	ひとやね	傘下《さんか》・落下傘《らっかさん》 雨傘《あまがさ》・日傘《ひがさ》
8 シ	肢	シ	月	にくづき	肢体《したい》・下肢《かし》 四肢《しし》・選択肢《せんたくし》

13	嗣	シ	口 くち	嗣子《しし》・嫡嗣《ちゃくし》 継嗣《けいし》
15	賜	シ たまわる	貝 かいへん	賜杯《しはい》・恩賜《おんし》 お言葉《ことば》を賜《たまわ》る
19	璽	ジ	玉 たま	御璽《ぎょじ》・国璽《こくじ》 印璽《いんじ》
14	漆	シツ うるし	氵 さんずい	漆器《しっき》・漆黒《しっこく》 漆塗《うるしぬ》り・漆細工《うるしざいく》
14	遮	シャ さえぎる	辶 しんにょう しんにゅう	遮断《しゃだん》・遮光《しゃこう》 話《はなし》を遮《さえぎ》る
11	蛇	ジャ ダ へび	虫 むしへん	蛇腹《じゃばら》・蛇行《だこう》 蛇足《だそく》・蛇《へび》
10	酌	シャク くむ	酉 とりへん	晩酌《ばんしゃく》・酌量《しゃくりょう》 事情《じじょう》を酌《く》む
17	爵	シャク	爫 つめかんむり つめがしら	爵位《しゃくい》・伯爵《はくしゃく》 男爵《だんしゃく》・叙爵《じょしゃく》
10	珠	シュ	王 おうへん たまへん	珠玉《しゅぎょく》・珠算《しゅざん》 真珠《しんじゅ》・(数珠《じゅず》)
16	儒	ジュ	亻 にんべん	儒学《じゅがく》・儒教《じゅきょう》 儒者《じゅしゃ》
5	囚	シュウ	口 くにがまえ	囚人《しゅうじん》・死刑囚《しけいしゅう》 脱獄囚《だつごくしゅう》
9	臭	シュウ くさい におう	自 みずから	臭気《しゅうき》・生臭《なまぐさ》い ガスが臭《にお》う
13	愁	シュウ うれえる うれい	心 こころ	愁傷《しゅうしょう》・哀愁《あいしゅう》 愁《うれ》いに沈《しず》む
13	酬	シュウ	酉 とりへん	報酬《ほうしゅう》 応酬《おうしゅう》
17	醜	シュウ みにくい	酉 とりへん	醜悪《しゅうあく》・醜態《しゅうたい》 醜《みにく》い姿《すがた》
5	汁	ジュウ しる	氵 さんずい	果汁《かじゅう》・墨汁《ぼくじゅう》 汁粉《しるこ》
6	充	ジュウ あてる	儿 ひとあし にんにょう	充実《じゅうじつ》・充電《じゅうでん》 学費《がくひ》に充《あ》てる
11	渋	ジュウ しぶ しぶい しぶる	氵 さんずい	苦渋《くじゅう》・渋谷《しぶや》 返事《へんじ》を渋《しぶ》る
14	銃	ジュウ	金 かねへん	銃砲《じゅうほう》・銃弾《じゅうだん》 小銃《しょうじゅう》・猟銃《りょうじゅう》
8	叔	シュク	又 また	伯叔《はくしゅく》 (叔父《おじ》)
11	淑	シュク	氵 さんずい	淑女《しゅくじょ》・淑徳《しゅくとく》 私淑《ししゅく》・貞淑《ていしゅく》
11	粛	シュク	聿 ふでづくり	粛清《しゅくせい》・静粛《せいしゅく》 自粛《じしゅく》
14	塾	ジュク	土 つち	塾生《じゅくせい》・塾舎《じゅくしゃ》 私塾《しじゅく》・学習塾《がくしゅうじゅく》
9	俊	シュン	亻 にんべん	俊敏《しゅんびん》・俊秀《しゅんしゅう》 俊才《しゅんさい》・英俊《えいしゅん》
10	准	ジュン	冫 にすい	准将《じゅんしょう》・批准《ひじゅん》 准看護師《じゅんかんごし》
10	殉	ジュン	歹 かばねへん いちたへん がつへん	殉死《じゅんし》・殉職《じゅんしょく》 殉難《じゅんなん》・殉教《じゅんきょう》
12	循	ジュン	彳 ぎょうにんべん	循環《じゅんかん》・循行《じゅんこう》 循守《じゅんしゅ》・因循《いんじゅん》
11	庶	ショ	广 まだれ	庶民《しょみん》・庶子《しょし》 庶事《しょじ》・庶務《しょむ》
14	緒	ショ チョ お	糸 いとへん	緒戦《しょせん》・由緒《ゆいしょ》 情緒《じょうちょ》・鼻緒《はなお》
9	叙	ジョ	又 また	叙述《じょじゅつ》・叙景《じょけい》 叙勲《じょくん》・叙情《じょじょう》
4	升	ショウ ます	十 じゅう	一升《いっしょう》 升目《ますめ》
7	抄	ショウ	扌 てへん	抄録《しょうろく》・抄本《しょうほん》 抄訳《しょうやく》
7	肖	ショウ	肉 にく	肖像《しょうぞう》 不肖《ふしょう》
8	尚	ショウ	⺌ しょう	尚早《しょうそう》・尚古《しょうこ》 好尚《こうしょう》・高尚《こうしょう》
10	宵	ショウ よい	宀 うかんむり	徹宵《てっしょう》 宵《よい》の口《くち》・宵宮《よいみや》
10	症	ショウ	疒 やまいだれ	症状《しょうじょう》・炎症《えんしょう》 重症《じゅうしょう》・狭心症《きょうしんしょう》

画数	漢字	読み	部首	部首名	用例
10	祥	ショウ	礻	しめすへん	発祥《はっしょう》・不祥事《ふしょうじ》 吉祥《きっしょう（きちじょう）》
11	渉	ショウ	氵	さんずい	渉外《しょうがい》・干渉《かんしょう》 交渉《こうしょう》
11	訟	ショウ	言	ごんべん	訴訟《そしょう》
12	硝	ショウ	石	いしへん	硝石《しょうせき》・硝酸《しょうさん》 硝煙《しょうえん》
12	粧	ショウ	米	こめへん	化粧《けしょう》
12	詔	ショウ みことのり	言	ごんべん	詔勅《しょうちょく》・詔書《しょうしょ》 詔《みことのり》
13	奨	ショウ	大	だい	奨励《しょうれい》・推奨《すいしょう》 奨学金《しょうがくきん》
14	彰	ショウ	彡	さんづくり	表彰《ひょうしょう》 顕彰《けんしょう》
17	償	ショウ つぐなう	亻	にんべん	弁償《べんしょう》・代償《だいしょう》 損失《そんしつ》を償《つぐな》う
17	礁	ショウ	石	いしへん	岩礁《がんしょう》・暗礁《あんしょう》 さんご礁《しょう》
9	浄	ジョウ	氵	さんずい	浄化《じょうか》・浄土《じょうど》 清浄《せいじょう》・洗浄《せんじょう》
11	剰	ジョウ	刂	りっとう	剰余《じょうよ》・過剰《かじょう》 余剰《よじょう》
16	壌	ジョウ	土	つちへん	土壌《どじょう》
20	醸	ジョウ かもす	酉	とりへん	醸造《じょうぞう》・醸成《じょうせい》 物議《ぶつぎ》を醸《かも》す
9	津	シン つ	氵	さんずい	興味津津《きょうみしんしん》 津波《つなみ》・津軽《つがる》
10	唇	シン くちびる	口	くち	口唇《こうしん》 唇《くちびる》をかむ
10	娠	シン	女	おんなへん	妊娠《にんしん》
11	紳	シン	糸	いとへん	紳士《しんし》
12	診	シン みる	言	ごんべん	診察《しんさつ》・診療《しんりょう》 患者《かんじゃ》を診《み》る
3	刃	ジン は	刀	かたな	自刃《じじん》・凶刃《きょうじん》 刃物《はもの》・両刃《りょうば》
6	迅	ジン	辶	しんにょう しんにゅう	迅速《じんそく》・奮迅《ふんじん》 疾風迅雷《しっぷうじんらい》
9	甚	ジン はなはだ はなはだしい	甘	かん あまい	甚大《じんだい》・幸甚《こうじん》 甚《はなは》だ良《よ》い
9	ス 帥	スイ	巾	はば	統帥《とうすい》・元帥《げんすい》 総帥《そうすい》
13	睡	スイ	目	めへん	睡眠《すいみん》・睡魔《すいま》 午睡《ごすい》・熟睡《じゅくすい》
8	枢	スウ	木	きへん	枢軸《すうじく》・枢要《すうよう》 中枢《ちゅうすう》
11	崇	スウ	山	やま	崇拝《すうはい》 崇高《すうこう》
11	据	すえる すわる	扌	てへん	腰《こし》を据《す》える 目《め》が据《す》わる
7	杉	すぎ	木	きへん	杉並木《すぎなみき》 杉板《すぎいた》・杉戸《すぎと》
8	セ 斉	セイ	斉	せい	斉唱《せいしょう》・一斉《いっせい》 均斉《きんせい》
10	逝	セイ ゆく いく	辶	しんにょう しんにゅう	逝去《せいきょ》・急逝《きゅうせい》 逝《ゆ》く・逝《い》く
14	誓	セイ ちかう	言	げん	誓約《せいやく》・宣誓《せんせい》 心《こころ》に誓《ちか》う
8	析	セキ	木	きへん	析出《せきしゅつ》・分析《ぶんせき》 解析《かいせき》・透析《とうせき》
8	拙	セツ つたない	扌	てへん	拙劣《せつれつ》・巧拙《こうせつ》 拙《つたな》い文章《ぶんしょう》
9	窃	セツ	穴	あなかんむり	窃盗《せっとう》 窃取《せっしゅ》
5	仙	セン	亻	にんべん	仙人《せんにん》・仙骨《せんこつ》 水仙《すいせん》・歌仙《かせん》
10	栓	セン	木	きへん	栓抜《せんぬ》き・血栓《けっせん》 消火栓《しょうかせん》・元栓《もとせん》

	11	旋	セン	方 ほうへん かたへん	旋回《せんかい》・旋律《せんりつ》 周旋《しゅうせん》
	13	践	セン	𧾷 あしへん	実践《じっせん》
	15	遷	セン	辶 しんにょう しんにゅう	遷都《せんと》・遷延《せんえん》 変遷《へんせん》・左遷《させん》
	16	薦	セン すすめる	艹 くさかんむり	推薦《すいせん》・自薦《じせん》 会長《かいちょう》に薦《すす》める
	17	繊	セン	糸 いとへん	繊細《せんさい》・繊維《せんい》 化繊《かせん》・合繊《ごうせん》
	13	禅	ゼン	ネ しめすへん	禅宗《ぜんしゅう》・禅寺《ぜんでら》 座禅《ざぜん》・友禅《ゆうぜん》
	14	漸	ゼン	氵 さんずい	漸次《ぜんじ》・漸進的《ぜんしんてき》 漸増《ぜんぞう》
ソ	10	租	ソ	禾 のぎへん	租税《そぜい》 公租公課《こうそこうか》
	12	疎	ソ うとい うとむ	𤴔 ひきへん	疎密《そみつ》・疎外《そがい》 事情《じじょう》に疎《うと》い
	13	塑	ソ	土 つち	塑像《そぞう》・彫塑《ちょうそ》 可塑性《かそせい》
	6	壮	ソウ	士 さむらい	壮大《そうだい》・壮健《そうけん》 気宇《きう》壮大《そうだい》
	9	荘	ソウ	艹 くさかんむり	荘厳《そうごん》・荘重《そうちょう》 別荘《べっそう》・山荘《さんそう》
	10	捜	ソウ さがす	扌 てへん	捜索《そうさく》・捜査《そうさ》 人《ひと》を捜《さが》す
	10	挿	ソウ さす	扌 てへん	挿入《そうにゅう》・挿話《そうわ》 挿《さ》し絵《え》
	11	曹	ソウ	曰 ひらび いわく	法曹《ほうそう》・陸曹《りくそう》 重曹《じゅうそう》
	12	喪	ソウ も	口 くち	喪失《そうしつ》・喪心《そうしん》 喪服《もふく》・喪主《もしゅ》
	15	槽	ソウ	木 きへん	水槽《すいそう》・浴槽《よくそう》 浄化槽《じょうかそう》
	17	霜	ソウ しも	雨 あめかんむり	秋霜烈日《しゅうそうれつじつ》 霜柱《しもばしら》・初霜《はつしも》
	19	藻	ソウ も	艹 くさかんむり	藻類《そうるい》・海藻《かいそう》 藻《も》くず
タ	7	妥	ダ	女 おんな	妥当《だとう》・妥結《だけつ》 妥協《だきょう》
	12	堕	ダ	土 つち	堕落《だらく》 堕胎《だたい》
	12	惰	ダ	忄 りっしんべん	惰眠《だみん》・惰性《だせい》 怠惰《たいだ》・遊惰《ゆうだ》
	14	駄	ダ	馬 うまへん	駄作《ださく》・無駄《むだ》 駄菓子《だがし》
	10	泰	タイ	氺 したみず	泰平《たいへい》・安泰《あんたい》 泰然自若《たいぜんじじゃく》
	17	濯	タク	氵 さんずい	洗濯《せんたく》
	7	但	ただし	亻 にんべん	但《ただ》し書《が》き
	12	棚	たな	木 きへん	棚上《たなあ》げ・本棚《ほんだな》 大陸棚《たいりくだな》・戸棚《とだな》
チ	13	痴	チ	疒 やまいだれ	痴漢《ちかん》・音痴《おんち》 愚痴《ぐち》
	10	逐	チク	辶 しんにょう しんにゅう	逐次《ちくじ》・逐一《ちくいち》 駆逐《くちく》・放逐《ほうちく》
	10	秩	チツ	禾 のぎへん	安寧秩序《あんねいちつじょ》
	14	嫡	チャク	女 おんなへん	嫡子《ちゃくし》・嫡流《ちゃくりゅう》 嫡男《ちゃくなん》・廃嫡《はいちゃく》
	9	衷	チュウ	衣 ころも	衷心《ちゅうしん》・折衷《せっちゅう》 苦衷《くちゅう》
	4	弔	チョウ とむらう	弓 ゆみ	弔問《ちょうもん》・慶弔《けいちょう》 弔《とむら》いの言葉《ことば》
	9	挑	チョウ いどむ	扌 てへん	挑戦《ちょうせん》・挑発《ちょうはつ》 決戦《けっせん》を挑《いど》む
	11	眺	チョウ ながめる	目 めへん	眺望《ちょうぼう》 空《そら》を眺《なが》める
	11	釣	チョウ つる	金 かねへん	釣果《ちょうか》・釣魚《ちょうぎょ》 魚《さかな》を釣《つ》る

音	画数	漢字	読み	部首	部首名	用例
	18	懲	チョウ こりる こらす こらしめる	心	こころ	懲罰《ちょうばつ》・懲役《ちょうえき》 失敗《しっぱい》に懲《こ》りる
	9	勅	チョク	力	ちから	勅語《ちょくご》・勅使《ちょくし》 詔勅《しょうちょく》
	10	朕	チン	月	つきへん	朕《ちん》は国家《こっか》なり
ツ	12	塚	つか	土	つちへん	塚穴《つかあな》 貝塚《かいづか》・一里塚《いちりづか》
	14	漬	つける つかる	氵	さんずい	塩漬《しおづ》け お茶漬《ちゃづ》け
	8	坪	つぼ	土	つちへん	坪数《つぼすう》・建坪《たてつぼ》 坪庭《つぼにわ》
テ	7	呈	テイ	口	くち	呈上《ていじょう》・呈示《ていじ》 贈呈《ぞうてい》・進呈《しんてい》
	7	廷	テイ	廴	えんにょう	宮廷《きゅうてい》・法廷《ほうてい》 出廷《しゅってい》・朝廷《ちょうてい》
	8	邸	テイ	阝	おおざと	邸宅《ていたく》・邸内《ていない》 私邸《してい》・別邸《べってい》
	9	亭	テイ	亠	なべぶた けいさんかんむり	亭主《ていしゅ》・料亭《りょうてい》 旅亭《りょてい》
	9	貞	テイ	貝	かい こがい	貞淑《ていしゅく》・貞操《ていそう》 貞節《ていせつ》
	10	逓	テイ	辶	しんにょう しんにゅう	逓信《ていしん》・逓送《ていそう》 逓減《ていげん》・駅逓《えきてい》
	11	偵	テイ	亻	にんべん	偵察《ていさつ》・探偵《たんてい》 内偵《ないてい》・密偵《みってい》
	13	艇	テイ	舟	ふねへん	艇庫《ていこ》・船艇《せんてい》 競艇《きょうてい》・艦艇《かんてい》
	8	泥	デイ どろ	氵	さんずい	泥土《でいど》・拘泥《こうでい》 泥沼《どろぬま》・泥棒《どろぼう》
	8	迭	テツ	辶	しんにょう しんにゅう	更迭《こうてつ》
	15	徹	テツ	彳	ぎょうにんべん	徹底《てってい》・徹夜《てつや》 徹頭徹尾《てっとうてつび》
	15	撤	テツ	扌	てへん	撤去《てっきょ》・撤回《てっかい》 撤兵《てっぺい》・撤退《てったい》
ト	11	悼	トウ いたむ	忄	りっしんべん	悼辞《とうじ》・哀悼《あいとう》 友《とも》の死《し》を悼《いた》む
	12	搭	トウ	扌	てへん	搭載《とうさい》 搭乗《とうじょう》
	12	棟	トウ むね むな	木	きへん	上棟《じょうとう》・病棟《びょうとう》 別棟《べつむね》・棟木《むなぎ》
	12	筒	トウ つつ	⺮	たけかんむり	封筒《ふうとう》・水筒《すいとう》 筒抜《つつぬ》け
	17	謄	トウ	言	げん	謄写《とうしゃ》 謄本《とうほん》
	20	騰	トウ	馬	うま	騰貴《とうき》・暴騰《ぼうとう》 沸騰《ふっとう》・急騰《きゅうとう》
	9	洞	ドウ ほら	氵	さんずい	洞察《どうさつ》・空洞《くうどう》 洞穴《ほらあな(どうけつ)》
	13	督	トク	目	め	督促《とくそく》・督励《とくれい》 監督《かんとく》・総督《そうとく》
	5	凸	トツ	凵	うけばこ	凸版《とっぱん》・凹凸《おうとつ》 (凸凹《でこぼこ》)
	4	屯	トン	屮	てつ	屯田兵《とんでんへい》 駐屯《ちゅうとん》
ナ	11	軟	ナン やわらか やわらかい	車	くるまへん	軟化《なんか》・軟弱《なんじゃく》 軟《やわ》らかい土《つち》
ニ	5	尼	ニ あま	尸	かばね しかばね	尼僧《にそう》・修道尼《しゅうどうに》 尼寺《あまでら》
	7	妊	ニン	女	おんなへん	妊娠《にんしん》・妊婦《にんぷ》 懐妊《かいにん》・不妊《ふにん》
	7	忍	ニン しのぶ しのばせる	心	こころ	忍者《にんじゃ》・残忍《ざんにん》 忍《しの》び足《あし》
ネ	14	寧	ネイ	宀	うかんむり	寧日《ねいじつ》・丁寧《ていねい》 安寧秩序《あんねいちつじょ》
ハ	7	把	ハ	扌	てへん	把握《はあく》・把持《はじ》 一把《いちわ》・十把《じっぱ》
	19	覇	ハ	襾	おおいかんむり	覇者《はしゃ》・覇権《はけん》 制覇《せいは》・争覇《そうは》
	12	廃	ハイ すたれる すたる	广	まだれ	廃止《はいし》・廃物《はいぶつ》 はやり廃《すた》り

11		培	バイ つちかう	土	つちへん	培養《ばいよう》・栽培《さいばい》 愛国心《あいこくしん》を培《つちか》う
12		媒	バイ	女	おんなへん	媒介《ばいかい》・媒体《ばいたい》 触媒《しょくばい》・風媒《ふうばい》
15		賠	バイ	貝	かいへん	賠償《ばいしょう》
7		伯	ハク	亻	にんべん	伯仲《はくちゅう》・伯爵《はくしゃく》 画伯《がはく》・(伯父《おじ》)
11		舶	ハク	舟	ふねへん	舶来《はくらい》 船舶《せんぱく》
13		漠	バク	氵	さんずい	漠然《ばくぜん》・広漠《こうばく》 砂漠《さばく》・空漠《くうばく》
6		肌	はだ	月	にくづき	肌色《はだいろ》・肌身《はだみ》 素肌《すはだ》・地肌《じはだ》
13		鉢	ハチ ハツ	釒	かねへん	鉢植《はちう》え 植木鉢《うえきばち》
14		閥	バツ	門	もんがまえ	学閥《がくばつ》・財閥《ざいばつ》 派閥《はばつ》・門閥《もんばつ》
13		煩	ハン ボン わずらう わずらわす	火	ひへん	煩雑《はんざつ》・煩悩《ぼんのう》 人《ひと》の手《て》を煩《わずら》わす
13		頒	ハン	頁	おおがい	頒布《はんぷ》 頒価《はんか》
6	ヒ	妃	ヒ	女	おんなへん	妃殿下《ひでんか》 王妃《おうひ》
8		披	ヒ	扌	てへん	披見《ひけん》・披露《ひろう》 直披《じきひ》
12		扉	ヒ とびら	戸	とだれ とかんむり	開扉《かいひ》・門扉《もんぴ》 校門《こうもん》の扉《とびら》
15		罷	ヒ	罒	あみがしら あみめ よこめ	罷業《ひぎょう》 罷免《ひめん》
11		猫	ビョウ ねこ	犭	けものへん	愛猫《あいびょう》 猫《ねこ》の額《ひたい》・猫背《ねこぜ》
15		賓	ヒン	貝	かい こがい	賓客《ひんきゃく》・主賓《しゅひん》 来賓《らいひん》・国賓《こくひん》
17		頻	ヒン	頁	おおがい	頻度《ひんど》・頻発《ひんぱつ》 頻繁《ひんぱん》・頻出《ひんしゅつ》
11		瓶	ビン	瓦	かわら	瓶詰《びんづめ》・花瓶《かびん》 土瓶《どびん》・鉄瓶《てつびん》
7	フ	扶	フ	扌	てへん	扶助《ふじょ》・扶養《ふよう》 扶育《ふいく》
8		附	フ	阝	こざとへん	附属《ふぞく》・附随《ふずい》 寄附《きふ》
19		譜	フ	言	ごんべん	楽譜《がくふ》・年譜《ねんぷ》 系譜《けいふ》
8		侮	ブ あなどる	亻	にんべん	侮辱《ぶじょく》・軽侮《けいぶ》 実力《じつりょく》を侮《あなど》る
8		沸	フツ わく わかす	氵	さんずい	沸騰《ふっとう》・沸点《ふってん》 湯《ゆ》を沸《わ》かす
12		雰	フン	雨	あめかんむり	雰囲気《ふんいき》
15		憤	フン いきどおる	忄	りっしんべん	憤慨《ふんがい》・義憤《ぎふん》 暴挙《ぼうきょ》に憤《いきどお》る
5	ヘ	丙	ヘイ	一	いち	丙種《へいしゅ》 甲乙丙《こうおつへい》
8		併	ヘイ あわせる	亻	にんべん	併合《へいごう》・合併《がっぺい》 両市《りょうし》を併《あわ》せる
12		塀	ヘイ	土	つちへん	板塀《いたべい》 土塀《どべい》
15		幣	ヘイ	巾	はば	貨幣《かへい》・紙幣《しへい》 御幣担《ごへいかつ》ぎ
15		弊	ヘイ	廾	こまぬき にじゅうあし	弊害《へいがい》・弊社《へいしゃ》 疲弊《ひへい》・旧弊《きゅうへい》
11		偏	ヘン かたよる	亻	にんべん	偏向《へんこう》・偏見《へんけん》 偏《かたよ》った考《かんが》え
12		遍	ヘン	辶	しんにょう しんにゅう	遍歴《へんれき》・普遍《ふへん》 一遍《いっぺん》
8	ホ	泡	ホウ あわ	氵	さんずい	気泡《きほう》・水泡《すいほう》 泡立《あわだ》つ
10		俸	ホウ	亻	にんべん	俸給《ほうきゅう》・年俸《ねんぽう》 本俸《ほんぽう》・減俸《げんぽう》
15		褒	ホウ ほめる	衣	ころも	褒賞《ほうしょう》・褒美《ほうび》 善行《ぜんこう》を褒《ほ》める

索引	画数	漢字	読み	部首	部首名	用例
	10	剖	ボウ	刂	りっとう	解剖《かいぼう》
	10	紡	ボウ つむぐ	糸	いとへん	紡績《ぼうせき》・混紡《こんぼう》 わたを紡《つむ》ぐ
	6	朴	ボク	木	きへん	朴直《ぼくちょく》・朴念仁《ぼくねんじん》 純朴《じゅんぼく》・素朴《そぼく》
	14	僕	ボク	亻	にんべん	下僕《げぼく》・老僕《ろうぼく》 公僕《こうぼく》
	15	撲	ボク	扌	てへん	撲殺《ぼくさつ》・撲滅《ぼくめつ》 打撲《だぼく》・(相撲《すもう》)
	11	堀	ほり	土	つちへん	釣《つ》り堀《ぼり》 外堀《そとぼり》
	8	奔	ホン	大	だい	奔走《ほんそう》・奔放《ほんぽう》 出奔《しゅっぽん》
マ	11	麻	マ あさ	麻	あさ	麻薬《まやく》・麻酔《ますい》 麻糸《あさいと》
	15	摩	マ	手	て	摩擦《まさつ》 摩天楼《まてんろう》
	16	磨	マ みがく	石	いし	磨滅《まめつ》・研磨《けんま》 磨《みが》き粉《こ》
	8	抹	マツ	扌	てへん	抹殺《まっさつ》・抹消《まっしょう》 一抹《いちまつ》
ミ	8	岬	みさき	山	やまへん	室戸《むろと》岬《みさき》
メ	14	銘	メイ	金	かねへん	銘柄《めいがら》・銘菓《めいか》 感銘《かんめい》・碑銘《ひめい》
モ	6	妄	モウ ボウ	女	おんな	妄信《もうしん》・妄想《もうそう》 妄言《もうげん(ぼうげん)》
	8	盲	モウ	目	め	盲点《もうてん》 盲従《もうじゅう》
	10	耗	モウ コウ	耒	すきへん らいすき	消耗《しょうもう(しょうこう)》 損耗《そんもう(そんこう)》
ヤ	4	厄	ヤク	厂	がんだれ	厄年《やくどし》・厄日《やくび》 災厄《さいやく》・大厄《たいやく》
ユ	12	愉	ユ	忄	りっしんべん	愉快《ゆかい》 愉悦《ゆえつ》
	16	諭	ユ さとす	言	ごんべん	諭旨《ゆし》・教諭《きょうゆ》 懇懇《こんこん》と諭《さと》す
	18	癒	ユ いえる いやす	疒	やまいだれ	癒着《ゆちゃく》・治癒《ちゆ》 傷《きず》を癒《い》やす
	11	唯	ユイ イ	口	くちへん	唯一《ゆいいつ》・唯物論《ゆいぶつろん》 唯唯諾諾《いいだくだく》
	11	悠	ユウ	心	こころ	悠然《ゆうぜん》・悠久《ゆうきゅう》 悠悠自適《ゆうゆうじてき》
	12	猶	ユウ	犭	けものへん	猶予《ゆうよ》
	12	裕	ユウ	衤	ころもへん	裕福《ゆうふく》・余裕《よゆう》 富裕《ふゆう》
	16	融	ユウ	虫	むし	融解《ゆうかい》・融和《ゆうわ》 金融《きんゆう》
ヨ	11	庸	ヨウ	广	まだれ	凡庸《ぼんよう》 中庸《ちゅうよう》
	15	窯	ヨウ かま	穴	あなかんむり	窯業《ようぎょう》 窯元《かまもと》・窯入《かまい》れ
ラ	19	羅	ラ	罒	あみがしら あみめ よこめ	羅列《られつ》・網羅《もうら》 羅針盤《らしんばん》
	13	酪	ラク	酉	とりへん	酪農《らくのう》
リ	12	痢	リ	疒	やまいだれ	疫痢《えきり》・下痢《げり》 赤痢《せきり》
	15	履	リ はく	尸	かばね しかばね	履歴《りれき》・(草履《ぞうり》) 靴《くつ》を履《は》く
	9	柳	リュウ やなぎ	木	きへん	川柳《せんりゅう》・花柳界《かりゅうかい》 柳腰《やなぎごし》
	10	竜	リュウ たつ	竜	りゅう	竜宮《りゅうぐう》・竜頭《りゅうず》 竜巻《たつまき》
	12	硫	リュウ	石	いしへん	硫酸《りゅうさん》・硫化銀《りゅうかぎん》 (硫黄《いおう》)
	13	虜	リョ	虍	とらがしら とらかんむり	虜囚《りょしゅう》 捕虜《ほりょ》
	11	涼	リョウ すずしい すずむ	氵	さんずい	涼味《りょうみ》・納涼《のうりょう》 夕涼《ゆうすず》み

14	僚	リョウ	亻	にんべん	僚友《りょうゆう》・官僚《かんりょう》 同僚《どうりょう》
15	寮	リョウ	宀	うかんむり	寮生《りょうせい》・寮母《りょうぼ》 独身寮《どくしんりょう》
10	倫	リン	亻	にんべん	倫理《りんり》・人倫《じんりん》 絶倫《ぜつりん》
11 ル	累	ルイ	糸	いと	累計《るいけい》・累積《るいせき》 係累《けいるい》
12	塁	ルイ	土	つち	塁審《るいしん》・満塁《まんるい》 土塁《どるい》・残塁《ざんるい》
7 レ	戻	レイ もどす もどる	戸	とだれ とかんむり	返戻《へんれい》 後戻《あともど》り
13	鈴	レイ リン すず	釒	かねへん	電鈴《でんれい》・予鈴《よれい》 風鈴《ふうりん》・鈴《すず》なり
13 ワ	賄	ワイ まかなう	貝	かいへん	収賄《しゅうわい》・贈賄《ぞうわい》 一万円《いちまんえん》で賄《まかな》う
8	枠	わく	木	きへん	枠内《わくない》・窓枠《まどわく》 黒枠《くろわく》・外枠《そとわく》

計	三二八字
3級までの合計	一、六二三字
累計	一、九五一字

準2級に出る熟字訓・当て字

小豆《あずき》　早乙女《さおとめ》　凸凹《でこぼこ》
海女《あま》・海士《あま》　差《さ》し支《つか》える　名残《なごり》
硫黄《いおう》　五月《さつき》　雪崩《なだれ》
意気地《いくじ》　早苗《さなえ》　二十《はたち》・二十歳《はたち》
田舎《いなか》　五月雨《さみだれ》　波止場《はとば》
海原《うなばら》　時雨《しぐれ》　日和《ひより》
乳母《うば》　竹刀《しない》　吹雪《ふぶき》
浮《うわ》つく　老舗《しにせ》　土産《みやげ》
笑顔《えがお》　芝生《しばふ》　息子《むすこ》
叔父《おじ》・伯父《おじ》　三味線《しゃみせん》　紅葉《もみじ》
叔母《おば》・伯母《おば》　砂利《じゃり》　木綿《もめん》
乙女《おとめ》　白髪《しらが》　最寄《もよ》り
お巡《まわ》りさん　相撲《すもう》　大和《やまと》
風邪《かぜ》　草履《ぞうり》　行方《ゆくえ》
仮名《かな》　太刀《たち》　若人《わこうど》
為替《かわせ》　立《た》ち退《の》く
心地《ここち》（「居心地《いごこち》」として使用可）　足袋《たび》
居士《こじ》　梅雨《つゆ》

学習漢字で中学校で習う読み（要注意）

小学校で習う漢字（学習漢字）で中学校で習う読みは、準2級試験での出題が予想されるので、注意が必要です。

チカラがつく資料

◀漢字　◀読み（カタカナは音、ひらがなは訓、赤文字は送りがな。）　◀用語例

漢字	読み	用語例
衣	ころも	衣替え・羽衣《はごろも》
遺	ユイ	遺言
羽	ウ	羽毛・羽化
映	はえる	夕日に映える
媛	エン	才媛
園	その	学びの園
音	イン	福音・母音
下	もと	親の下・旗の下
化	ケ	化身・道化師
仮	ケ	仮病
何	カ	幾何
夏	ゲ	夏至
荷	カ	出荷・荷担

◀漢字　◀読み（カタカナは音、ひらがなは訓、赤文字は送りがな。）　◀用語例

漢字	読み	用語例
我	ガ わ	我流 我が国
灰	カイ	石灰・灰白色
外	ゲ	外科・外題
街	カイ	街道・繁華街《がい》
革	かわ	なめし革《がわ》
割	カツ さく	分割 魚を割く
干	ひる	干物・干菓子
眼	まなこ	ねぼけ眼
危	あやうい あやぶむ	危うい目にあう 完成を危ぶむ
机	キ	机上・机下
岐	キ	岐路
基	もと	法律に基づく
貴	たっとい・たっとぶ とうとい・とうとぶ	神仏を貴ぶ 貴い体験

漢字	読み	用語例
器	うつわ	ガラスの器
機	はた	機織
技	わざ	寝技・立ち技
客	カク	刺客
弓	キュウ	弓道・洋弓
究	きわめる	真理を究める
泣	キュウ	号泣・感泣
宮	グウ	神宮・東宮
京	ケイ	京浜・京葉
胸	むな	胸板・胸騒ぎ
強	ゴウ しいる	強情 参加を強いる
郷	ゴウ	近郷・郷に入る
境	ケイ	境内《けいだい》
競	きそう	のどを競う
業	わざ	軽業師
極	ゴク・きわめる きわまる・きわみ	極意・極秘 感極まる
兄	ケイ	父兄・貴兄
経	キョウ	お経・経典

漢字	読み	用語例
軽	かろやか	軽やかな足どり
穴	ケツ	墓穴・穴居
結	ゆう ゆわえる	髪を結う ひもで結わえる
研	とぐ	包丁を研ぐ
健	すこやか	健やかに育つ
厳	おごそか	厳かな儀式
己	キ おのれ	知己 己を知る
故	ゆえ	故ありげに話す
後	おくれる	後れ毛・気後れ
公	おおやけ	公の場所
交	かう かわす	行き交う 話を交わす
幸	さち	山の幸・幸多い
厚	コウ	厚顔・厚志
紅	ク くれない	真紅 紅の海
香	コウ	香水
黄	コウ こ	黄泉 黄金
鋼	はがね	鋼の板
谷	コク	渓谷・幽谷

今	キン	今上
砂	シャ	土砂
座	すわる	床に座る
災	わざわい	災いを招く
裁	たつ	布を裁つ
財	サイ	財布
氏	うじ	氏神
姉	シ	姉妹・長姉
試	ためす	力を試す
示	シ	図示・示唆
字	あざ	大字・小字
耳	ジ	外耳・耳鼻科
次	シ	次第
児	ニ	小児科
似	ジ	類似・近似
滋	ジ	滋養
辞	やめる	会社を辞める
室	むろ	石室・室咲き

質	シチ	質屋・人質《ひとじち》
謝	あやまる	平謝り
若	ジャク	若年・若干《じゃっかん》
手	た	手繰る・手綱
守	もり	子守り・灯台守り
授	さずける さずかる	賞を授ける 子供を授かる
州	す	中州・三角州
宗	ソウ	宗家・宗匠
拾	シュウ ジュウ	拾得 拾円
修	シュ	修行・修羅場
集	つどう	映画の集い
就	つく つける	職に就く 任務に就ける
熟	うれる	実が熟れる
出	スイ	出納《すいとう》
初	そめる	見初める 書初め
女	ニョ め	天女 女神
助	すけ	助太刀《すけだち》
除	ジ	掃除

承	うけたまわる	ご意見を承る
笑	ショウ えむ	笑止 ほほ笑み
商	あきなう	米を商う
勝	まさる	前回より勝る
焼	ショウ	焼失・燃焼
傷	いたむ いためる	本が傷む 桃を傷める
上	のぼせる のぼす	歌手に上せる
蒸	むす・むれる むらす	芋を蒸す ご飯を蒸らす
縄	ジョウ	縄文時代
申	シン	申告・答申
神	かん	神主
仁	ニ	仁王立ち
図	はかる	解決を図る
推	おす	委員に推す
井	ショウ	天井《てんじょう》
生	おう き	生い立ち 生糸
声	こわ	声色・声高
性	ショウ	性根・性分

星	ショウ	明けの明星《みょうじょう》
省	かえりみる	行動を省みる
盛	セイ さかる・さかん	盛大 盛り場
誠	まこと	誠の心
静	ジョウ	静脈
精	ショウ	精進・無精
夕	セキ	今夕・一朝一夕
石	コク	百万石《ひゃくまんごく》・千石船《せんごくぶね》
昔	シャク	今昔《こんじゃく》
切	サイ	一切
舌	ゼツ	毒舌・舌戦《ぜっせん》
川	セン	川柳・河川
浅	セン	浅学・深浅
専	もっぱら	専ら勉学に励む
染	セン	染料・感染
戦	いくさ	女の戦
銭	ぜに	小銭・銭入れ
素	ス	素顔・素手

早	サッ	早速・早急
相	ショウ	首相
装	ショウ	衣装・装束
操	あやつる	操り人形
蔵	くら	酒蔵《さかぐら》・穴蔵《あなぐら》
速	すみやか	速やかに歩く
率	ソツ	率先・率直
損	そこなう そこねる	健康を損なう 機嫌を損ねる
体	テイ	体裁・風体
対	ツイ	一対・対句
貸	タイ	賃貸・貸与
代	しろ	苗代・代物
探	さぐる	動きを探る
断	たつ	酒を断つ
値	あたい	一見に値する
茶	サ	茶房・茶飯事
仲	チュウ	仲介・伯仲
著	あらわす いちじるしい	書物を著す 成長著しい

丁	テイ	園丁・丁重
調	ととのう ととのえる	準備が調う 味を調える
弟	テイ・デ	師弟・弟子
提	さげる	かばんを提げる
程	ほど	程なく・身の程
敵	かたき	敵役・恋敵《こいがたき》
度	タク たび	支度 この度
討	うつ	討ち入り
頭	かしら	頭文字・出世頭《しゅっせがしら》
童	わらべ	童歌
得	うる	参加し得る
内	ダイ	参内・境内《けいだい》
乳	ち	乳房・乳首
認	ニン	認識・認定
納	ナッ トウ	納得・出納《すいとう》
背	そむく そむける	法律に背く 目を背ける
麦	バク	麦芽・麦秋
発	ホッ	発端・発作《ほっさ》

反	タン	反物・減反
犯	おかす	罪を犯す
阪	ハン	阪神
秘	ひめる	内に秘める
費	ついやす ついえる	年月を費やす 時間が費える
鼻	ビ	鼻炎・鼻音
病	やむ	肺を病む
貧	ヒン	貧苦・貧血
夫	フウ	夫婦・工夫
文	ふみ	恋文《こいぶみ》・文の道
並	ヘイ	並行・並立
閉	とざす	心を閉ざす
片	ヘン	紙片・破片
歩	ブ	歩合・日歩
暮	ボ	暮色・歳暮
訪	おとずれる	春が訪れる
報	むくいる	恩に報いる
忘	ボウ	忘我・忘年会

望	モウ	所望・本望
暴	バク	暴露
牧	まき	牧場
妹	マイ	姉妹・義妹
万	バン	万民・万歳
民	たみ	一億の民
命	ミョウ	寿命
迷	メイ	迷路・迷信
面	おも おもて	面影・細面
目	ボク	面目
門	かど	門出・門松
役	エキ	役務・使役
有	ウ	有無・有頂天
優	やさしい すぐれる	優しい人 優れた学者
要	いる	金が要る
欲	ほしい	車が欲しい
来	きたる きたす	来る二十日 支障を来す
卵	ラン	卵黄・卵白

裏 リ 裏面・脳裏

臨 のぞむ 試合に臨む

朗 ほがらか 朗らかな人

和 やわらぐ 気持ちが和らぐ
やわらげる 痛みを和らげる
なごむ 心が和む
なごやか 和やかに話す

「部首」で出題される下級の漢字

準2級試験の部首の問題への出題が予想される3級以下の漢字と、その部首です。しっかりと覚えましょう。

漢字	部首
愛	心
哀	口
案	木
以	人
威	女
為	灬
尉	心
壱	士
衛	行
央	大
奥	大
可	口
架	木
我	戈
画	田
雅	隹
介	𠆢
戒	戈
界	田
皆	白
街	行
甘	甘
乾	乙
幹	干
希	巾
奇	大
基	土
幾	幺
貴	貝
器	口
棄	木
輝	車
義	羊
疑	疋
喫	口
久	ノ
及	又
丘	一
旧	日
求	水
巨	工
競	立
響	音
業	木
禁	示
句	口
具	八
軍	車
系	糸
景	日
警	言
券	刀
兼	八
堅	土
元	儿
玄	玄
厳	⺍
固	囗
雇	隹
鼓	鼓
互	二
后	口
甲	田
更	曰
皇	白
興	臼
豪	豕
穀	禾
克	儿
困	囗
差	工
再	冂
最	曰
裁	衣
歳	止
載	車
在	土
罪	罒
冊	冂
参	厶
産	生
傘	𠆢
暫	日
四	囗
市	巾
史	口
司	口

州	受	酒	朱	釈	尺	執	辞	児	雌	歯	紫	視	姿	死
川	又	酉	木	釆	尸	土	辛	儿	隹	歯	糸	見	女	歹
署	書	初	処	準	盾	巡	旬	術	熟	重	衆	周	秀	寿
罒	曰	刀	几	氵	目	巛	日	行	灬	里	血	口	禾	寸
辱	畳	常	乗	丈	衝	焦	昇	匠	照	象	勝	章	将	承
辰	田	巾	丿	一	行	灬	日	匚	灬	豕	力	立	寸	手
席	整	静	聖	盛	省	成	井	是	衰	垂	尋	辛	新	真
巾	攵	青	耳	皿	目	戈	二	日	衣	土	寸	辛	斤	目
卒	束	葬	窓	奏	争	善	然	前	戦	泉	宣	占	隻	斥
十	木	艹	穴	大	亅	口	灬	刂	戈	水	宀	卜	隹	斤
昼	室	置	致	恥	炭	丹	奪	卓	替	帯	耐	尊	存	率
日	穴	罒	至	心	火	丶	大	十	曰	巾	而	寸	子	玄
弐	南	堂	唐	倒	東	怒	努	斗	哲	底	弟	墜	賃	兆
弋	十	土	口	亻	木	心	力	斗	口	广	弓	土	貝	儿
武	票	表	必	匹	美	卑	半	罰	髪	博	売	婆	熱	乳
止	示	衣	心	匸	羊	十	十	罒	髟	十	士	女	灬	乚
奉	報	慕	募	墓	舗	弁	変	壁	並	兵	分	奮	覆	舞
大	土	⺗	力	土	舌	廾	夂	土	一	八	刀	大	襾	舛
夜	黙	命	夢	無	務	矛	民	密	凡	墨	暴	望	乏	亡
夕	黒	口	夕	灬	力	矛	氏	宀	几	土	日	月	丿	亠

有	勇	幽	雄	与	誉	養	翼	乱	卵	裏	吏	離	慮	良
月	力	幺	隹	一	言	食	羽	し	卩	衣	口	隹	心	良
量	了	療	臨	令	隷	齢	麗	歴	劣	烈	老	労	六	惑
里	亅	疒	臣	𠆢	隶	歯	鹿	止	力	灬	耂	力	八	心

『書き取り』で出題される下級の漢字

準2級試験の書き取りの問題で出題されたことのある3級以下の漢字です。中学校で習う読み・高校で習う読みも問われます。

繰《く》る　発《ほっ》端《たん》　割《かつ》愛《あい》　迫《せま》る　祈《いの》る　拠《きょ》点《てん》　狂《くる》う　煮《に》詰《つ》まる　畳《たたみ》　販《はん》売《ばい》　暦《こよみ》　損《そこ》なう

偉《えら》い　軒《のき》並《な》み　背《そむ》ける　及《およ》ぶ　暗《あん》黙《もく》　感《かん》涙《るい》　屈《くっ》折《せつ》　誇《ほこ》る　交《こう》互《ご》　更《さら》に　斜《しゃ》線《せん》　趣《おもむき》

瞬《しゅん》間《かん》　淡《あわ》い　仲《ちゅう》介《かい》　突《とっ》進《しん》　濃《のう》霧《む》　躍《やく》進《しん》　腕《うで》試《だめ》し　操《あやつ》る　血《ち》眼《まなこ》　神《かん》主《ぬし》　病《や》む　和《やわ》らぐ

朽《く》ちる　更《こう》新《しん》　巡《めぐ》る　相《そう》互《ご》　曇《くも》る　夜《よ》露《つゆ》　分《ぶん》割《かつ》　詰《つ》める　鮮《せん》度《ど》　弾《はず》む　別《べっ》途《と》　専《もっぱ》ら　澄《す》む　威《い》勢《せい》　暇《ひま》

準2級に出る四字熟語

本書のテストで出題した四字熟語と、その他本試験への出題が予想される四字熟語を収めました。四字熟語は意味といっしょに覚えましょう。

あ

青息吐息《あおいき といき》

心配や苦労のあまり、心身ともに弱ったときに吐くため息。また、ため息の出るような状態。

悪戦苦闘《あくせん くとう》

強敵に対しての死に物狂いの苦しい戦い。転じて、困難に打ち勝とうと苦労しながら努力すること。

い

遺憾千万《いかん せんばん》

大変残念である。思いどおりにいかず、非常に心残り。「遺憾」は憾《うら》みを遺《のこ》す意。類語に「残念至極」がある。

衣冠束帯《いかん そくたい》

昔の貴族の礼服。

意気衝天《いき しょうてん》

元気がよく天を衝かんばかりに、勢いがよいこと。意気込み盛んなこと。類語に「意気揚々」がある。

意志薄弱《いし はくじゃく》

意志の力が微弱で、忍《にん》耐《たい》できなかったり、決断できなかったりすること。類語に「優柔不断」がある。

一網打尽《いちもう だじん》

網を一打ちしてその周辺にいる魚を残らずとらえること。転じて、一度に悪党の一味や敵対する者すべてをとらえつくすこと。

一騎当千《いっき とうせん》

一人の騎兵が千人の敵を相手に戦うほど、強い力を持っていること。

一触即発《いっしょく そくはつ》

互いににらみ合って対立している勢力が、ちょっとふれ合うだけで爆発しそうな、非常に切迫している状態。類語に「危機一髪」がある。

一朝一夕《いっちょう いっせき》

一日か一晩。転じて、短いとき。

意到筆随《いとう ひつずい》

詩文などが心のままにすらすらと作れること。

威風堂堂《いふう どうどう》

重々しくどっしりと威力に満ちているようす。

隠忍自重《いんにん じちょう》

じっと我慢して軽々しい言動を慎むこと。

う

有為転変《うい てんぺん》

この世の中は激しく移り変わり、しばらくも一定の状態にないこと。「転変」は「てんべん」とも読む。

雲散霧消《うんさん むしょう》

雲や霧が風や太陽の光にあたって消えうせるように、物事が一時に消えてなくなること。あとかたもなくなること。

え

栄枯盛衰《えいこ せいすい》

人や家などが栄えたり衰えたりすること。

円転滑脱《えんてん かつだつ》

なめらかで、よく変化して自由自在なこと。物事をすらすらと運び、とどこおらせないこと。

お

応急措置《おうきゅう そち》

急場の間に合わせにする仮の処置。類語に「応急処置」がある。

屋上架屋《おくじょう かおく》

屋根の上にさらに屋根を架ける意で、無駄なことを繰り返したり、独創性のないことのたとえ。

温厚篤実《おんこう とくじつ》

短気を起こさず、いつも心が安定しており、誠実で信頼するに足る人柄。

音吐朗朗《おんと ろうろう》

声が豊かでさわやかなこと。

か

快刀乱麻《かいとう らんま》

「快刀乱麻を断つ」の略。切れ味のよい刀剣で乱れもつれた麻を切るという意から、紛糾《ふんきゅう》して解決の糸口を見失った物事をてきぱきと手ぎわよく処理すること。類語に「一刀両断」がある。

怪力乱神《かいりき らんしん》

人間の知恵では理解できない不思議な物事や、超自然的な現象のたとえ。

過剰防衛《かじょう ぼうえい》

正当防衛の限度を超えた防衛行為のこと。

佳人薄命《かじんはくめい》

美人には不幸な者や短命な者が多いということ。「佳人」は美人。類語に「**美人薄命**」がある。

合従連衡《がっしょうれんこう》

利害の状態により組んだり別れたりするさま。

我田引水《がでんいんすい》

自分の田へ水を引くこと。転じて、自分の都合のよいように言ったり、したりすること。

夏炉冬扇《かろとうせん》

夏の火ばちと冬の扇の意で、時節に合わず、役に立たないもの。類語に「**十日の菊**」がある。

感慨無量《かんがいむりょう》

言葉では言い表せないほど、胸いっぱいにしみじみと感じ入ること。

緩急自在《かんきゅうじざい》

緩めたり引き締めたり、思いのままにすること。

汗牛充棟《かんぎゅうじゅうとう》

蔵書が非常に多いこと。また、多くの蔵書。牛車に乗せて運ぶと牛が汗をかき、家に積み重ねると棟がつかえるほど一杯になるという意味。

頑固一徹《がんこいってつ》

強情《ごうじょう》で周りの意見に耳を貸さず、自分の意見を押し通すこと。また、そのような性格。

換骨奪胎《かんこつだったい》

骨を取り換え、子の宿るところを奪って自分のものにすることから、先人の発想や趣旨を取り入れ、自分なりの語句で表現し、独自の新たな作品を作ること。現在では誤用が慣用化し、内容を少し変えただけの焼き直しの意味に用いられる。

冠婚葬祭《かんこんそうさい》

元服《げんぷく》、婚礼、葬儀《そうぎ》、祖先の祭祀《さいし》（祭り）、の四大礼式のこと。

勧善懲悪《かんぜんちょうあく》

善行を勧め励まし、悪事を懲《こ》らしめること。略して「勧懲《かんちょう》」という。

肝胆相照《かんたんそうしょう》

互いに心の底から理解し合って深くつき合うこと。「肝」は肝臓、「胆」は胆嚢《たんのう》、転じて心のうち、心の底のこと。

閑話休題《かんわきゅうだい》

無駄話をやめて、話を本筋にもどすときに用いる語。それはさておき。さて。「閑話」は「間話」とも書き、無駄話の意。「休題」は話をやめる。

き

気宇壮大《きうそうだい》

心の持ち方や考え方が広くて大きいさま。「気宇」は心の持ち方・心の広さの意。

気炎万丈《きえんばんじょう》

大いに意気を上げること。「気炎」は燃え上がるような盛んなさま、万丈は非常に高く上がること。

危機一髪《ききいっぱつ》

髪の毛一本ほどのほんのわずかな違いで、非常に危険な状態になりそうな瞬間、状況のこと。

疑心暗鬼《ぎしんあんき》

疑う心があると、なんでもないことまで怪しく感じられるようになること。

規制緩和《きせいかんわ》

政府が、産業や経済に関するさまざまな規制を廃止《はいし》したり緩めたりすること。

奇想天外《きそうてんがい》

普通の人には思いつかないような、きわめて奇抜な考え。

喜怒哀楽《きどあいらく》

喜び、怒り、哀《かな》しみ、楽しみのこと。

鬼面仏心《きめんぶっしん》

外見は鬼のような怖い顔をしているが、本当は仏のような優しい心を持っていること。また、そのような人。対語に「**人面獣心**」がある。

旧態依然《きゅうたいいぜん》

昔からの状態がそのまま続いていて少しも変化、進歩しないさま。類語に「**十年一日**」がある。

狂喜乱舞《きょうきらんぶ》

非常に喜ぶさま。

驚天動地《きょうてんどうち》

天を驚かし、地を動かす意で、世間を大いに驚かすこと。

器用貧乏《きようびんぼう》

器用なためあちこちに手を出し、かえって中途半《はん》端《ぱ》となり大成しないこと。また、そのような人。

挙国一致《きょこくいっち》

国民全体が、心を一つにして同じ目的に向かうこと。非常事態のときに用いられる言葉。

金城鉄壁《きんじょうてっぺき》

金や鉄で造ったような城壁を持つ堅固な城。転じて、物事が非常に堅固であることのたとえとして使われる。

く

空中楼閣《くうちゅう(の)ろうかく》

空中に浮いて築かれている建造物（蜃《しん》気《き》楼《ろう》）のように、実態や根拠、現実感がないさま。類語に「砂上楼閣」がある。

愚者一得《ぐしゃのいっとく》

愚かな者でも、たまにはすぐれた知恵をだすことがあるということ。また、自分の意見を述べるのに、けんそんしていう言葉。

君子三戒《くんしのさんかい》

君子が自戒すべき三つの戒め。少年期の女色、壮年期の争い、老年期の物欲のこと。

群雄割拠《ぐんゆうかっきょ》

多くの英雄が各地で勢力を張り、対立すること。

け

鯨飲馬食《げいいんばしょく》

鯨が海水を吸い込むようにたくさん酒を飲み、馬が草をはむようにたくさん食べるさま。類語に「牛飲馬食」「暴飲暴食」がある。

軽挙妄動《けいきょもうどう》

よく考えもせず軽はずみに行動すること。軽率な行動。

鶏口牛後《けいこうぎゅうご》

「鶏口となるも牛後となるなかれ」と同じ。大きなものの後ろにつくよりは、小さなものの頭になるべきだの意。「牛後」は牛のしり。

軽薄短小《けいはくたんしょう》

うすっぺらで中身のないさま。

兼愛無私《けんあいむし》

区別なく広く人を愛すること。

現状維持《げんじょういじ》

現在の状況をそのまま変化させないこと。類語に「現状保持」がある。

堅忍不抜《けんにんふばつ》

困難に負けず我慢強く耐えること。類語に「志操堅固《けんご》」がある。

権謀術数《けんぼうじゅっすう》

人をあざむく、たくらみやはかりごと。

こ

厚顔無恥《こうがんむち》

あつかましくて恥知らずなさま。

綱紀粛正《こうきしゅくせい》

国の規律を引き締め、政治の不正を除くこと。また、規制を厳しく正すこと。

好機到来《こうきとうらい》

ちょうどよい機会がくること。絶好の機会に恵まれること。

巧言令色《こうげんれいしょく》

巧みな言葉や、顔色をつくろったりすること。転じて、言葉を飾り、口先だけのことをいい、相手にこびへつらうこと。

高材疾足《こうざいしっそく》

すぐれた能力があり、行動力があること。そのような人。「高材」は高い才能、「疾足」は足が速い。

光彩陸離《こうさいりくり》

美しい光が、まばゆいばかりに輝くさま。「陸離」はきらきらと光り輝くさまをいう。

好事多魔《こうじたま》

よいことには往々にして邪魔が入りやすいたとえ。「好事、魔多し」とも読む。

公序良俗《こうじょりょうぞく》

公共の秩序《ちつじょ》と、善良な風俗。

巧遅拙速《こうちせっそく》

じょうずで遅いより、へたでも速いほうがよいの意。古くは兵法の語。

高論卓説《こうろんたくせつ》

すぐれた意見、論説のこと。

呉越同舟《ごえつどうしゅう》

仲の悪い者同士が同じ境遇や場所にいること。仲の悪い者同士が反目しあいながらも、利害の一致をみるときは協力し合うということ。

極悪非道《ごくあくひどう》

この上なく道理にそむいたひどい悪事を行うこと。

国士無双《こくしむそう》

国中で並ぶ者のないすぐれた人物。「国士」は国内ですぐれた人、「無双」は二つとないの意。

極楽往生《ごくらくおうじょう》

この世を去って、極楽浄《じょう》土《ど》に生まれ変わること。また、安らかに死ぬこと。

極楽浄土《ごくらくじょうど》

仏教で阿《あ》弥《み》陀《だ》仏《ぶつ》がいる

西方浄土のこと。

孤軍《こぐん》奮闘《ふんとう》
孤立した中で少人数で必死に戦うこと。だれの援助も受けず、独りで懸命にがんばるさま。

古今《ここん》無双《むそう》
昔から今に至るまで、他に比するものがないこと。「無双」は他に比べるものがないという意。類語に「**天下無双**」がある。

孤城《こじょう》落日《らくじつ》
孤立無援の城に沈む夕日がさし込んでいる光景。勢力も傾き、助けもこない心細いさま。

誇大《こだい》妄想《もうそう》
自分の現状を実際以上に想像して、事実のように思いこむこと。

刻苦《こっく》勉励《べんれい》
非常に苦労して、勉学や仕事につとめはげむこと。類語に「**刻苦精励**」がある。

孤立《こりつ》無援《むえん》
独りぼっちで、だれも手を差しのべてくれない状態。類語に「**孤軍奮闘**」がある。

五里《ごり》霧中《むちゅう》
霧が深く方向がつかめないこと。現状がつかめず方針をたてる手がかりがない状態。

言語《ごんご》道断《どうだん》
あまりのひどさにあきれて言葉も出ない、言葉にならないこと。

さ

歳月《さいげつ》不待《ふたい》
年月はすみやかに過ぎ去り、人の都合など待ってはくれないということ。時間を大切にすべきことをいう。

才色《さいしょく》兼備《けんび》
すぐれた才知を持ち、美ぼうをも兼ね備えている女性。「色」はようす、人間でいう容ぼうのこと。「才色」は「さいしき」とも読む。

砂上《さじょうの》楼閣《ろうかく》
「楼閣」は高い建物。砂の上では建物がすぐに崩れてしまう意から、長続きしない物事のたとえ。また、空想するだけで実現不可能な計画。

残酷《ざんこく》非道《ひどう》
道理や人情にそむき外れて、むごたらしいこと。類語に「**悪逆無道**」「**残虐非道**」がある。

山紫《さんし》水明《すいめい》
山が陽光を受けて紫色に映え、流れる川の水は澄んで清らかなこと。

し

時期《じき》尚早《しょうそう》
行動を起こす時期としては、まだ早すぎる。ある物事をするのに、まだ条件が適していないこと。

色即《しきそく》是空《ぜくう》
仏教の根本思想の一つで、この世のすべての物には形があるが、形は実在ではなく本質は空である、という意。

自給《じきゅう》自足《じそく》
自分に必要な物を自ら生産し、満ち足りるようにすること。

試行《しこう》錯誤《さくご》
試みと失敗をくりかえしながら適切な方法を見つけること。試しに行って、まちがい誤るという意から。

事後《じご》承諾《しょうだく》
事がすんだあとで、それについての承諾をする。また、承諾を与えること。

自己《じこ》矛盾《むじゅん》
一人の人の言葉や行動が前後でつじつまが合わないこと。言うことと行うことが矛盾していること。

士魂《しこん》商才《しょうさい》
武士の高潔な精神と商人の計算高さ。

自縄《じじょう》自縛《じばく》
自分が作った縄で自分を縛ること。自分自身の言動で自分が規制されて自由に動けず、結局は進退きわまってしまうこと。

志操《しそう》堅固《けんご》
正しいと信じる主義や志がしっかりと定まっていて、容易にはくずれないこと。

時代《じだい》錯誤《さくご》
異なった時代の考え方や行動をあてはめて混同する誤り。転じて、時代遅れ。アナクロニズム。

質実《しつじつ》剛健《ごうけん》
飾り気がなく、まじめで、心身ともに強くしっかりしていること。

失笑《しっしょう》噴飯《ふんぱん》
あまりのおかしさをおさえきれずに、食べている飯を吹き出して笑ってしまうこと。また、その飯。

疾風迅雷《しっぷうじんらい》

強く吹く風と、激しい雷鳴のこと。転じて、物事のなりゆきや変化、行動がすばやく激しいさま。

四分五裂《しぶんごれつ》

ばらばらになること。まとまっていたものが秩序をなくすこと。

自暴自棄《じぼうじき》

物事に失敗したり、まったく希望が持てないような状態になったりしたときに、自分自身を粗末に扱い、すてばちになること。

遮二無二《しゃにむに》

二を断ち切り、二はないの意から、あれこれと他のことは考えず、そのことだけをがむしゃらにすること。

縦横無尽《じゅうおうむじん》

この上なく自由自在で、思う存分にふるまうこと。類語に「自由自在」「縦横自在」がある。

終始一貫《しゅうしいっかん》

始めから終わりまで態度や行動が変わらず、同じであること。周りの変化に影響されることなく、主義主張を保ち続ける場合に用いる。類語に「首尾一貫」がある。

衆人環視《しゅうじんかんし》

多くの人が取り巻いて見ていること。物事が白日の下にさらされることについてもいう。

秋霜烈日《しゅうそうれつじつ》

権威や志、刑罰などに対して厳正であるさま。「秋霜」は秋のきわめて冷たい霜、「烈日」は夏の強い日差し。

周知徹底《しゅうちてってい》

世間一般、広くすみずみまで知れわたるようにすること。

主客転倒《しゅかくてんとう》

主人と客が入れ替わることで、重要な事柄と取るに足らない事柄、人や物事の軽重《けいちょう》が逆になること。「主客」は「しゅきゃく」とも読む。類語に「本末転倒」がある。

熟慮断行《じゅくりょだんこう》

じっくり考えた上で思い切って実行すること。

取捨選択《しゅしゃせんたく》

必要なものを取り、不必要なものを捨てて選び取ること。

首尾一貫《しゅびいっかん》

始めから終わりまで一つの方針や態度を貫き通すこと。始めと終わりで矛盾しないさま。類語に「終始一貫」がある。

順風満帆《じゅんぷうまんぱん》

帆に追い風を一杯に受けて、船が快調に進むこと。転じて、物事がすべて順調に進むこと。

証拠隠滅《しょうこいんめつ》

事実を証明する根拠となるものをなくすこと。

情状酌量《じょうじょうしゃくりょう》

刑事裁判の判決で、犯罪に至った事情の同情すべきところを考慮して、刑罰を軽減すること。

小人閑居《しょうじんかんきょ》

「小人閑居《かんきょ》して不善《ふぜん》をなす」と用いて、つまらぬ人間、器量の小さい人間は、暇があると悪事に走りやすいことをいう。

正真正銘《しょうしんしょうめい》

本当のこと。うそ、偽りがなく、確かに本物であること。

諸行無常《しょぎょうむじょう》

すべての物事は変化し、はかないものであること。

初志貫徹《しょしかんてつ》

物事の始めに決めたことを、くじけることなく最後まで完全に貫いて、志を遂げること。

職権濫用《しょっけんらんよう》

公務員が職務にことよせて、実際には職務ではない行為を不当に行うこと。

自力更生《じりきこうせい》

他人に頼らず自分の力で生活を改めていくこと。

支離滅裂《しりめつれつ》

てんでんばらばらで、まとまりがないこと。乱れてつじつまが合わないこと。類語に「四分五裂《しぶんごれつ》」「乱雑無章《らんざつむしょう》」がある。

思慮分別《しりょふんべつ》

よく考えて判断すること。また、その能力。類語に「熟慮断行」がある。

深山幽谷《しんざんゆうこく》

人里を離れた奥深い山山や、物の形がはっきりしないほど深い谷。

紳士淑女《しんししゅくじょ》

品格があって、礼儀正しい男性と女性。

仁者不憂《じんしゃふゆう》

仁徳者は常に正しい道を行くので悩むことがな

いの意で、日ごろの行いがよければ、心がゆったりし、憂えることもないこと。

神出鬼没《しんしゅつきぼつ》

すばやく、自由自在に、現れたり隠れたりすること。所在が容易につかめないさま。

尋常一様《じんじょういちよう》

ごくあたりまえのこと。とおりいっぺん。

信賞必罰《しんしょうひつばつ》

賞罰のけじめを厳正にすること。功労のある者には必ず賞を与え、罪を犯した者は必ず罰する。

針小棒大《しんしょうぼうだい》

針のように小さなことを、棒ほどもあったように大きくいう。

新進気鋭《しんしんきえい》

新たに参加したてで非常に意気込み、勢いが盛んなこと。また、その人。

心神耗弱《しんしんこうじゃく》

精神の機能が低下し、正常な判断や行動ができない状態。

人跡未踏《じんせきみとう》

いまだかつて、人が足をふみ入れたことのないこと。

迅速果断《じんそくかだん》

きわめて速いこと。すばやく大胆に物事を行うこと。類語に「即断即決」「迅速《じんそく》果敢」がある。

新陳代謝《しんちんたいしゃ》

古いものと新しいものが入れ替わること。

震天動地《しんてんどうち》

天地を動かすほどの大事件。類語に「驚天動地」がある。

心頭滅却《しんとうめっきゃく》

心の中の雑念が消え去り、無念・無想の境地に至ること。仏教語で「心頭を滅却《めっきゃく》すれば火も自《おの》ずから涼《すず》し」とあり、どんな苦難にあっても、それを超越して、心頭にとどめないようにすれば、苦しさを感じないの意。

人品骨柄《じんぴんこつがら》

人柄やふうさい。人品は品性、骨柄は体つきから受ける風格。

深謀遠慮《しんぼうえんりょ》

はるか先のことまで考えて立てた周到な計略。「深謀」は深いはかりごと、「遠慮」は遠く思いはかるの意。

人面獣心《じんめんじゅうしん》

人間らしい心を持たない人のこと。顔は人間であるが心は獣の意から、冷酷《れいこく》非情な人。

迅雷風烈《じんらいふうれつ》

激しいかみなりと猛烈な風。類語に「疾風迅雷《しっぷうじんらい》」がある。

森羅万象《しんらばんしょう》

宇宙空間に存在する、すべての物、すべての現象。「万象」は「ばんぞう」「まんぞう」とも読む。類語に「有象無象《うぞうむぞう》」「一切合切《いっさいがっさい》」がある。

■す

酔生夢死《すいせいむし》

酒に酔い、夢心地で自覚もなく一生を過ごす意で、何もせずにぼんやりと、むだに一生を送ること。類語に「無為徒食」がある。

■せ

生殺与奪《せいさつよだつ》

生かすも殺すも、奪うも与えるも、思いのままであること。「生殺与奪の権」と用いる。絶対的権力。

生生流転《せいせいるてん》

すべての存在は、絶えず生まれては変化し、移り変わっていくこと。「生生」は「しょうじょう」とも読む。

生離死別《せいりしべつ》

このうえなく悲痛な別れ。生きながら離ればなれになることと、死んで永遠に別れること。

精力絶倫《せいりょくぜつりん》

精力が抜きん出て強いこと。

勢力伯仲《せいりょくはくちゅう》

二つの勢力に優劣がないこと。

清廉潔白《せいれんけっぱく》

心が清く、不正をするような後ろめたいところがないさま。類語に「青天白日」「晴雲秋月」がある。

責任転嫁《せきにんてんか》

責任を他人になすりつけること。「転嫁」は二度目の嫁入りの意から転じて、ほかに移すこと。

千客万来《せんきゃくばんらい》

大勢の客がひっきりなしにやってくること。

千軍万馬《せんぐんばんば》

数多くの兵士と数多くの軍馬。激しい戦いの経験が豊富であること。転じて、社会経験が豊かで、場慣れしていること。類語に「**海**《うみ》**千**《せん》**山**《やま》**千**《せん》」「**百戦錬磨**」がある。

潜在意識《せんざいいしき》
心の奥底にひそみかくれている、自覚されない意識。

千載一遇《せんざいいちぐう》
二度とない絶好のチャンス。千年に一度出会えるぐらいのチャンス。

千紫万紅《せんしばんこう》
さまざまな色。色彩豊かで、さまざまな花が咲きほこっていること。

前人未到(踏)《ぜんじんみとう》
今までだれも到達していないこと。「未踏」とも書くが、その場合は、まだだれも足を踏み入れていないという意味になる。

前代未聞《ぜんだいみもん》
これまで耳にしたことのない変わったこと。

前途多難《ぜんとたなん》
将来いろいろと困難の多いことが予想されること。対語に「**前途有望**」「**前途洋洋**」がある。

前途有望《ぜんとゆうぼう》
将来に大いに見込みがあること。類語に「**前途有**《ゆう》**為**《い》」「**前途洋洋**」がある。

先憂後楽《せんゆうこうらく》
先に心配事・苦痛に思うことをかたづけ、楽しみは後回しにすること。

千慮一失《せんりょのいっしつ》
知者が、どんなに入念に考えたことでも、一つぐらいは失敗や間違いがあるということ。対語に「**千慮一得**」「**愚者一得**《ぐしゃのいっとく》」がある。

千慮一得《せんりょのいっとく》
愚者の考えの中にも一つぐらいはよいものがあるということ。対語に「**千慮一失**」がある。

善隣友好《ぜんりんゆうこう》
隣国や隣家などに友情を持つこと。外交上、友好関係を結ぶこと。

そ

粗衣粗食《そいそしょく》
粗末な着物と粗末な食事。質素な生活。

相思相愛《そうしそうあい》
互いに慕い合い、愛し合っていること。

速戦即決《そくせんそっけつ》
戦いが長引くことをさけて、勝ち負けを一気にその場で決すること。転じて、物事の決着を速《すみ》やかにつけること。

即断即決《そくだんそっけつ》
間をおかず決断すること。類語に「**当機立断**」、対語に「**優柔不断**」がある。

則天去私《そくてんきょし》
自然の道理に従い、せまく小さな自分を捨てて崇高《すうこう》に生きること。

粗製乱造《そせいらんぞう》
質が悪くて粗末な品をむやみにたくさん作り出すこと。「乱造」は「濫造」とも書く。

率先垂範《そっせんすいはん》
先頭に立って積極的に行動し模範を示すこと。「率先」は先に立って行動する、「垂範」は手本を示す。

た

大安吉日《たいあんきちじつ》
暦で万事うまくいくとされる日で、祝事にあてることが多い。

大言壮語《たいげんそうご》
ふさわしくない大きなことを言うこと。また、その言葉。

泰然自若《たいぜんじじゃく》
気持ちが落ち着いて物事に動揺しないさま。

大胆不敵《だいたんふてき》
度胸がすわっていて敵をまったく恐れないさま。

多岐亡羊《たきぼうよう》
逃げた羊を追いかけながら、分かれ道が多いために、とうとう羊を見失ったという故事から、方針が多すぎて選択に迷うたとえ。

多事多難《たじたなん》
事件が多く、困難なことが多いこと。

ち

中途半端《ちゅうとはんぱ》
物事が完了していないこと。また、態度などが徹底せず、どっちつかずの状態であること。

昼夜兼行《ちゅうやけんこう》
昼も夜も休まずに進むこと。転じて、仕事などを続けて行うこと。類語に「**不眠不休**」がある。

沈思黙考《ちんしもっこう》
静かにじっとして、深く考え込むこと。

て

徹頭徹尾《てっとうてつび》

始めから終わりまで。一から十まで。類語に「終始一貫」「首尾一貫」がある。

天衣無縫《てんいむほう》
天人の衣《ころも》には人工的な縫い目がないことから、詩文などで技巧の跡がなく、ごく自然に見えながら完成度の高いこと。

天下無双《てんかむそう》
天下に比べる者がいないこと。「無双」は世に並ぶ者がいないこと。

と

当意即妙《とういそくみょう》
その場にふさわしいタイミングで即座の機転をきかすこと。

同床異夢《どうしょういむ》
いっしょに暮らしてはいるが、別々のことを考えている状態。また同じ仕事にたずさわりながら目標が異なっていること。

東奔西走《とうほんせいそう》
あっちこっち忙しく走り回って尽力すること。

怒髪衝天《どはつしょうてん》
大いに怒り、髪の毛が天を突くほどに逆立っているさま。怒りの激しさを表現する。「怒髪天を衝《つ》く」とも読む。

な

内柔外剛《ないじゅうがいごう》
意志、精神力は弱いが外見はいかにも強そうに見えること。また、そのようにふるまうこと。

内憂外患《ないゆうがいかん》
内部にも外部にも問題が多く、心配事が多いこと。

難攻不落《なんこうふらく》
守りが堅くて攻め落としにくい。転じて、相手がなかなかこちらの思い通りにならないこと。

に

二者択一《にしゃたくいつ》
二つの中から一つを選ぶこと。

二人三脚《ににんさんきゃく》
二人が肩を組み、隣り合った足首をしばって走る競技から、二人が力を合わせて物事に取り組むこと。

は

波及効果《はきゅうこうか》
波が広がるように伝わっていく物事の影響。

薄志弱行《はくしじゃっこう》
意志が弱くて実行力が足りないこと。

白日昇天《はくじつしょうてん》
仙人になること。また、急に富貴《ふうき》になること。いやしい者が急に出世すること。

白砂青松《はくしゃせいしょう》
「白砂」は「白沙」とも書き、また「はくさ」とも読む。白い砂と松の緑。海岸の美しい風景。

ひ

美辞麗句《びじれいく》
飾ったたくみな言葉。主にお世辞を言うための言葉や言いまわし。

美人薄命《びじんはくめい》
美しい女性は、とかく不運で短命である。類語に「佳人薄命」がある。

百代過客《ひゃくだいのかかく》
永遠に止まることのない旅人。「過客」は旅人。歳月が過ぎ去っても帰らない旅人にたとえた言葉。「過客」は「かきゃく」とも読む。

百鬼夜行《ひゃっきやこう》
いろいろな化け物が夜になると動きまわる。転じて、悪人どもが自分勝手なふるまいをすること。

比翼連理《ひよくれんり》
夫婦の愛情の深いこと。「比翼」は「比翼の鳥」、「連理」は「連理の枝」。いつも翼を並べて飛ぶ鳥と、二本の木の枝がくっついて木目が一つにつながった枝。

ふ

不朽不滅《ふきゅうふめつ》
いつまでも滅びたり消えたりしないこと。

複雑怪奇《ふくざつかいき》
いろいろなことが込み入って混乱しているため、全体として怪しく不思議なようす。

複雑多岐《ふくざつたき》
多くのことが込み入って多方面にわたるさま。類語に「複雑多様」がある。

夫唱婦随《ふしょうふずい》
夫の意見に妻が従うこと。夫婦の仲がとてもよいこと。

浮石沈木《ふせきちんぼく》
石を浮かしたり木を沈めるなど、自然の作用や動きに無理やり逆らうこと。

不即不離《ふそくふり》
つかず離れずの関係を保つこと。

物議《ぶつぎ》騒然《そうぜん》

世間、世人がおだやかでなく騒がしい状態。類語に「物情騒然」がある。

腐敗《ふはい》堕落《だらく》

健全な精神が乱れ、品行が悪くなること。品行が悪くなり身をもち崩すこと。

普遍《ふへん》妥当《だとう》

どんな場合にも真理として承認されること。

不眠《ふみん》不休《ふきゅう》

眠らず、休まないこと。期限が迫っているなど、せっぱつまった状態のときに懸命に努めるさま。

不老《ふろう》長寿《ちょうじゅ》

いつまでも年をとらず、長生きすること。類語に「長生不老」「不老不死」がある。

付和《ふわ》雷同《らいどう》

自分なりの確固とした考えを持たず、他人の説や判断に軽々しく同調すること。「付和」は「附和」とも書く。

粉骨《ふんこつ》砕身《さいしん》

骨身を惜しまず力の限りを尽くすこと。

粉飾《ふんしょく》決算《けっさん》

会社の経営内容を実際よりもよく見せるために、決算の数字をごまかすこと。

文人《ぶんじん》墨客《ぼっかく》

「墨客」は「ぼっきゃく」とも読む。詩文、書画にたけ、風雅、風流を求める人。

奮励《ふんれい》努力《どりょく》

目標を立てて一心にことに当たること。

へ

弊衣《へいい》破帽《はぼう》

破れた衣服と穴のあいた帽子。汚らしい格好をしていること。

平穏《へいおん》無事《ぶじ》

おだやかで、これといったこともなく安らかなこと。類語に「無事息災」がある。

変幻《へんげん》自在《じざい》

出没や変化が自由自在であること、またそのようす。類語に「千変万化」「変幻出没」がある。

片言《へんげん》隻句《せきく》

わずかな言葉。ちょっとした短い言葉。類語に「一言半句」「片言隻語」がある。

ほ

傍若《ぼうじゃく》無人《ぶじん》

人を人とも思わないような態度や言動。人前をはばからず勝手気ままにふるまうこと。類語に「得《え》手《て》勝手」がある。

放胆《ほうたん》小心《しょうしん》

文章を書くはじめは大胆に筆をふるって思い切って書くのがよく、ある程度熟練してからは細心の注意を払って書くのがよいこと。また、それら二つの文体。

忙中《ぼうちゅう》有閑《ゆうかん》

忙しい時間のうちにもほっと息をつく暇はあるものだということ。

本末《ほんまつ》転倒《てんとう》

根本の大切なことと、枝葉のつまらないことを取り違えること。類語に「主客転倒」がある。

み

妙計《みょうけい》奇策《きさく》

人の意表をついた奇抜ですぐれたはかりごと。

む

無為《むい》自然《しぜん》

何もしないであるがままにまかせること。

無為《むい》徒食《としょく》

何もせず、ただ無駄に日々を過ごすこと。「無為」は何もしないこと。「徒食」は働かずに遊んで暮らすこと。

無為《むい》無策《むさく》

有効な手だてが何もないまま、何もできずに手をこまねいていること。

め

明鏡《めいきょう》止水《しすい》

くもりのない鏡と静かな水面。転じて、心にくもりがなく静かに落ち着いているさま。

明哲《めいてつ》保身《ほしん》

知恵がすぐれて道理によく通じ、物事をうまく処理して安全に身を保つこと。

名論《めいろん》卓説《たくせつ》

格調高い議論ととりわけすぐれた意見。類語に「高論卓説」「高論名説」がある。

迷惑《めいわく》千万《せんばん》

たいへん迷惑なこと。「千万」は数の多いことをいう。類語に「迷惑至極」がある。

滅私《めっし》奉公《ほうこう》

「めっしぼうこう」とも読む。私心を捨てて公のために尽くすこと。「滅私」は私心を捨てる、「奉公」は国や社会のために力を尽くす。

免許《めんきょ》皆伝《かいでん》

武術や芸道などで、師が弟子に、その道の奥義を残らず伝え、その修了を認めること。

面目《めんもく》躍如《やくじょ》

「面目」は「めんぼく」とも読む。いかにもその人らしい、名誉や評価にふさわしい活躍をするさま。

■や

夜郎《やろう》自大《じだい》

凡俗の中にいていばっている世間知らず。身のほど知らず。

■ゆ

唯一《ゆいいつ》無二《むに》

この世に同じものは他にないこと。「唯一」と「無二」は、ともにたった一つの意。

唯我《ゆいが》独尊《どくそん》

宇宙の中で自分ほど尊い者はいないという意味。自分は偉いとうぬぼれる、ひとりよがりの意味にも使う。

優柔《ゆうじゅう》不断《ふだん》

決断力に欠け、いつまでもぐずぐずしていること。類語に**「意志薄弱」**がある。

優勝《ゆうしょう》劣敗《れっぱい》

生存競争で、優れている者が勝ち、劣っている者が負けること。

勇猛《ゆうもう》果敢《かかん》

勇ましくて決断力が強く、屈しないこと。類語に**「進取果敢」**がある。

悠悠《ゆうゆう》自適《じてき》

ゆっくりと落ち着いて、心静かに過ごすこと。あくせくせず、気の向くままに生活すること。

■よ

用意《ようい》周到《しゅうとう》

用意が十分に整って手抜かりのないこと。「用意」は心づかい、「周到」は手落ちのないこと。

要害《ようがい》堅固《けんご》

備えのかたいこと。「要害」は地勢が険しく、攻めるのに難しく守るのにたやすい地。

容姿《ようし》端麗《たんれい》

姿、形がきちんと整っていて美しいこと。類語に**「姿色《ししょく》端麗」**がある。

■り

離合《りごう》集散《しゅうさん》

離れたり集まったりする。また、そのくりかえし。

粒粒《りゅうりゅう》辛苦《しんく》

米を作る農民のつらさの一通りでないこと。転じて、こつこつと努力や苦労をすること。

良妻《りょうさい》賢母《けんぼ》

夫に対してよい妻であり、子に対しては賢明な母親であること。

■れ

冷汗《れいかん》三斗《さんと》

ひどく怖い思いをしたり人前で恥じ入ったりするさまの形容。冷や汗をたくさんかくこと。類語に**「冷水三斗」**がある。

霊魂《れいこん》不滅《ふめつ》

人間の魂は肉体の死後も存在しているという考え方。

■ろ

炉辺《ろへん》談話《だんわ》

いろりのそばで、くつろいでするよもやま話。

論功《ろんこう》行賞《こうしょう》

功績を考慮してそれに応じた賞を与えること。「功」は手柄、「賞」はほうび。

論旨《ろんし》明快《めいかい》

議論の主旨・要旨が、はっきり筋道が通っていてわかりやすいこと。対語に**「論旨不明」**がある。

■わ

和魂《わこん》洋才《ようさい》

日本固有の精神と西洋の学問。また、その二つをそなえ持つこと。「和魂」は日本固有の気質、「洋才」は西洋文明伝来の才能。類語に**「和魂漢才」**がある。

和洋《わよう》折衷《せっちゅう》

建築や生活様式などで、日本風と西洋風を適度に取り合わせること。また、そのようにしてできたもの。

〈参考図書〉

「実用・四字熟語辞典」
長島猛人 編（成美堂出版）
「漢検・四字熟語辞典・第二版」
（公財）日本漢字能力検定協会 編
（公財）日本漢字能力検定協会

本書記載の情報は制作時点のものです。受検をお考えの方は、必ずご自身で下記の公益財団法人 日本漢字能力検定協会の発表する最新情報をご確認ください。

公益財団法人 日本漢字能力検定協会

【ホームページ】 https://www.kanken.or.jp/

＜本部＞ 京都市東山区祇園町南側551番地

ホームページにある「よくある質問」を読んで該当する質問がみつからなければメールフォームでお問合せください。電話でのお問合せ窓口は0120－509－315（無料）です。

◆「漢検」「漢字検定」は公益財団法人 日本漢字能力検定協会の登録商標です。

本書に関する正誤等の最新情報は、下記のアドレスでご確認ください。
https://www.seibidoshuppan.co.jp/info/honshi-kankenj2-2411

◉ 上記アドレスに掲載されていない箇所で、正誤についてお気づきの場合は、書名・質問事項・氏名・住所（またはFAX番号）を明記の上、**成美堂出版**まで**郵送**またはFAXでお問い合わせください。**お電話でのお問い合わせはお受けできません。**

◉ 本書の内容を超える質問等にはお答えできませんので、あらかじめご了承ください。また、受検指導などは行っておりません。

◉ ご質問の到着確認後10日前後で、回答を普通郵便またはFAXで発送いたします。

◉ ご質問の受付期限は、2025年10月末日到着分までといたします。ご了承ください。

よくあるお問い合わせ

Q **持っている辞書に掲載されている部首と、本書に掲載されている部首が違いますが、どちらが正解でしょうか？**

A 辞書によっては、部首としているものが異なることがあります。**漢検の採点基準では、「漢検要覧 2～10級対応 改訂版」（日本漢字能力検定協会発行）で示しているものを正解としています**ので、本書もこの基準に従っています。そのためお持ちの辞書と部首が異なることがあります。

本試験型 漢字検定準2級試験問題集 '25年版

2024年12月1日発行

編　著　成美堂出版編集部

発行者　深見公子

発行所　成美堂出版
〒162-8445 東京都新宿区新小川町1-7
電話(03)5206-8151 FAX(03)5206-8159

印　刷　大盛印刷株式会社

ISBN978-4-415-23909-5

落丁·乱丁などの不良本はお取り替えします
定価はカバーに表示してあります

本試験型

漢字検定 試験問題集

'25年版

解答・解説

準2級

●常用漢字表にない漢字や読みは不正解にな
ます。
●解答の照合は、漢字の点の有無まで注意して厳密に行いましょう。
●解答が複数ある場合は、そのうちの一つを書
いてあれば正解です。複数の答えを書いた場
合は、それらが全部合っていないと正解にな
りません。
●踊り字（々）は、正しく使われていれば正解です

矢印方向に引くと別冊の解答・解説が外れます。

成美堂出版

準2級

第1回 テスト 解答・解説

問題は本冊
P10～15

(一) 読み

各1点 計30点

グレーの部分は解答の補足です

1 かもく
2 さんばし
3 かんてい
4 さくばく
5 きょぜつ
6 しょみん
7 こうぼく
8 けんお
9 りょう
10 あいしゅう
11 ゆいいつ
12 ごうもん
13 とくそく
14 ふってん
15 ひょうしょう

16 そぜい
17 あんたい
18 よれい
19 せいきょ
20 かん
21 かわ(き)
22 どろ
23 まゆだま
24 たつまき
25 すす(めて)
26 あわだ(て)
27 つい(やし)
28 みば(え)
29 おく(れ)
30 にお(う)

4「索漠《さくばく》」は心が満たされず寂しく感じるさま。

10「哀愁《あいしゅう》」は悲しく寂しい気持ちの意味。

20「棺《かん》をおおいて事定《ことさだ》まる」とは、人間の評価は死んだ後に初めて決まる、という意味。

23「繭玉《まゆだま》」は正月の縁起物の一つで、丸めたもちなどを枝にたくさんつけたもののこと。

(二) 部首

各1点 計10点

グレーの部分は部首の名前です

1 貝(かい／こがい)
2 一(いち)
3 ノ(の／はらいぼう)
4 衣(ころも)
5 大(だい)

6 目(め)
7 廾(こまぬき／にじゅうあし)
8 黒(くろ)
9 阝(おおざと)
10 凵(うけばこ)

(三) 熟語の構成

各2点 計20点

1 ア
2 エ
3 イ
4 ア
5 ウ
6 エ
7 イ
8 オ
9 ウ
10 ア

洞穴《ほらあな》　どちらも「穴」の意。「どうけつ」とも読む。
上棟《じょうとう》　上(げる)⬆棟(を)
騰落《とうらく》　(物価が)騰(上がる)⬍落(下がる)
呈示《ていじ》　どちらも「示す」の意。
喪中《もちゅう》　喪(に服している)⬇中(期間)
倒幕《とうばく》　倒(す)⬆幕(幕府を)
凹凸《おうとつ》　凹(へこみ)⬍凸(でっぱり)
未遂《みすい》　未(否定)＋遂(げる)
鉄瓶《てつびん》　鉄(鋳鉄製の)⬇瓶(湯沸かし器)
謄写《とうしゃ》　どちらも「写す」の意。

(四) 四字熟語

グレーの部分は解答の補足です

問1　各2点／計20点

1 衣《い》冠《かん》**束**《そく》帯《たい》
2 栄《えい》**枯**《こ》盛《せい》衰《すい》
3 **有**《う》為《い》転《てん》変《ぺん》
4 隠《いん》忍《にん》自《じ》**重**《ちょう》
5 青《あお》息《いき》**吐**《と》息《いき》
6 過《か》**剰**《じょう》防《ぼう》衛《えい》
7 喜《き》**怒**《ど》哀《あい》楽《らく》
8 一《いち》**網**《もう》打《だ》尽《じん》
9 **意**《い》気《き》衝《しょう》天《てん》
10 快《かい》刀《とう》**乱**《らん》麻《ま》

1 昔の貴族の礼服。
2 人や家などが栄えたり衰えたりすること。
3 この世の中は激しく移り変わり、しばらくも一定の状態にないこと。
4 じっと我慢して軽々しい言動を慎むこと。
5 心配や苦労のために心身が弱って吐くため息。また、そのため息の出る状態。
6 正当防衛の限度を超えた防衛行為。
7 喜び、怒り、哀《かな》しみ、楽しみのこと。
8 悪人一味を一度で全員捕らえること。
9 元気がよく天を衝《つ》かんばかりに、勢いがよいこと。意気込み盛んなこと。
10 よく切れる刀でもつれた麻を切るように、もつれた物事を手ぎわよく処理すること。

問2　各2点／計10点

11 キ
12 ク
13 コ
14 エ
15 ア

(五) 対義語・類義語

各2点 計20点

グレーの部分は問題の熟語です

1 寛容《かんよう》⇔厳格《げんかく》
2 細目《さいもく》⇔大綱《たいこう》
3 野卑《やひ》⇔高雅《こうが》
4 漠然《ばくぜん》⇔歴然《れきぜん》
5 遵守《じゅんしゅ》⇔違反《いはん》

6 適宜《てきぎ》＝随意《ずいい》
7 回想《かいそう》＝追憶《ついおく》
8 緒論《しょろん》＝序文《じょぶん》
9 次第《しだい》＝順序《じゅんじょ》
10 清廉《せいれん》＝潔白《けっぱく》

4「然」は点つき。

8「緒」に「物事のはじめ」の意味がある。

(六) 同音・同訓異字

各2点 計20点

グレーの部分は解答の補足です

1 (解《かい》)剖《ぼう》
2 (混《こん》)紡《ぼう》
3 (不《ふ》)愉《ゆ》(快《かい》)
4 (教《きょう》)諭《ゆ》
5 (消《しょう》)耗《もう》(品《ひん》)
6 盲《もう》(導《どう》犬《けん》)

7 郵《ゆう》(送《そう》)
8 悠《ゆう》(揚《よう》)
9 飢《う》(えて)
10 (下《した》)請《う》(け)

8「悠揚迫《ゆうようせま》らぬ」とは、不利な状況や切迫した場面にあっても落ち着きを失わないこと。

(七) 誤字訂正

各2点 計10点

グレーの部分は誤字・正字を含む問題の補足です

	〔誤〕		〔正〕
1	潮干刈り	↓	潮干狩り
2	就いで	↓	継いで
3	注尺	↓	注釈
4	配財	↓	配剤
5	要思	↓	要旨

(八) 漢字と送りがな

各2点 計10点

1 傾《かたむ》ける
2 耕《たがや》し
3 遣《つか》わす
4 控《ひか》え
5 拙《つたな》い

(九) 書き取り

各2点 計50点

グレーの部分は解答の補足です

1 融資《ゆうし》
2 同僚《どうりょう》
3 砂丘《さきゅう》
4 図鑑《ずかん》
5 閲覧《えつらん》
6 架空《かくう》
7 華道《かどう》
8 後悔《こうかい》
9 睡眠《すいみん》

10 奮迅《ふんじん》
11 古墳《こふん》
12 終了《しゅうりょう》
13 片隅《かたすみ》
14 吟味《ぎんみ》
15 斉唱《せいしょう》
16 輝《かがや》(いた)
17 詰《つ》(め)
18 叫《さけ》(ぶ)

19 朽《く》(ち)
20 宵《よい》
21 日和《ひより》
22 叔父《おじ》
23 相撲《すもう》
24 蛍《ほたる》
25 隔《へだ》(て)

3「風紋《ふうもん》」は風が吹くことによって砂地の表面にできる模様。

8「後悔《こうかい》先に立たず」は終わってしまったことを後から後悔しても遅いことのたとえ。

10「獅子奮迅《ししふんじん》」は獅子が奮い立つような激しい勢いのこと。

14「吟味《ぎんみ》」は念入りに調べること。

15「斉唱《せいしょう》」は同じ旋律を複数の人で同時に歌うこと。また、複数の人が声をそろえて一斉に唱えること。

16「つぶら」は丸くてかわいらしいさま。

20「宵《よい》の明星《みょうじょう》」は日没後東の空に見える金星のこと。「明《あ》けの明星《みょうじょう》」は日の出前東の空に見える金星のこと。

22自分から見て、父母の弟は「叔父」、兄は「伯父」で、読み方はともに「おじ」。

(一) 読み

各1点 計30点

グレーの部分は解答の補足です

1 ゆうかい
2 ぼくめつ
3 ちせつ
4 せんせい
5 じゃぐち
6 りょうてい
7 ていかん
8 じんりん
9 きょうらく
10 ほうしゅう
11 ないしょ
12 とつめんきょう
13 こんだて
14 かそ
15 ふんいき
16 ごうわん
17 だいしょう
18 ふんぜん
19 きんぎょばち
20 ゆうきゅう
21 ほ(め)
22 さが(して)
23 か(つ)
24 しぶ(る)
25 か(ける)
26 まかな(う)
27 むねあげ
28 なご(やか)
29 ひるがえ(して)
30 おとめ

8「人倫《じんりん》」は社会秩序を維持する実践道徳。
9「享楽《きょうらく》」は自分の思いのままに快楽を味わうこと。
18「憤然《ふんぜん》」は激しく怒っている様子のこと。
27「棟上式《むねあげしき》」は家を建てる際に行われる祭りごと。

(二) 部首

各1点 計10点

グレーの部分は部首の名前です

1 土(つち)
2 大(だい)
3 氏(うじ)
4 幺(よう いとがしら)
5 手(て)
6 一(いち)
7 夕(た ゆうべ)
8 竜(りゅう)
9 食(しょく)
10 心(こころ)

(三) 熟語の構成

各2点 計20点

1 イ
2 オ
3 ウ
4 ア
5 イ
6 エ
7 ウ
8 ア
9 エ
10 ウ

虚実《きょじつ》 虚(うそ)⇕実(真実)
無恥《むち》 無(否定)+恥。「恥知らず」。
俗臭《ぞくしゅう》 俗(っぽい)↓臭(雰囲気)
荒廃《こうはい》 どちらも「荒れる」の意。
硬軟《こうなん》 硬(いこと)⇕軟(らかいこと)
着任《ちゃくにん》 着(く)↑任(に)
財閥《ざいばつ》 財(財産の)↓閥(利害を共にする集まり)
媒介《ばいかい》 どちらも「仲立ちをする」の意。
点眼《てんがん》 点(たらす)↑眼(目に)
症状《しょうじょう》 症(病気の)↓状(状態)

(四) 四字熟語

グレーの部分は解答の補足です

問1 各2点/計20点

1 **我**《が》田《でん》引《いん》水《すい》
2 応《おう》急《きゅう》**措**《そ》置《ち》
3 頑《がん》**固**《こ》一《いっ》徹《てっ》
4 **遺**《い》憾《かん》千《せん》万《ばん》
5 **温**《おん》厚《こう》篤《とく》実《じつ》
6 危《き》機《き》一《いっ》**髪**《ぱつ》
7 孤《こ》立《りつ》無《む》**援**《えん》
8 器《き》用《よう》**貧**《びん》乏《ぼう》
9 疑《ぎ》心《しん》暗《あん》**鬼**《き》
10 **汗**《かん》牛《ぎゅう》充《じゅう》棟《とう》

自分の田へ水を引くこと。転じて、自分の都合のよいように物事を運ぶこと。

急場の間に合わせにする仮の処置。類語に「応急処置《おうきゅうしょち》」がある。

強情《ごうじょう》で自分の考えを変えず、最後まで押し通すこと。また、その性格。

思いどおりにいかず、大変残念であること。

性格が穏やかで温かみがあり、情に厚く誠実であること。

髪の毛一本ほどのわずかな差で困難に陥りそうな瀬戸際のこと。

一人ぼっちで、ほかに頼るものがない状態。類語に「孤軍奮闘《こぐんふんとう》」がある。

器用なためあちこちに手を出し、かえって大成しないこと。また、そのような人。

疑う心があると、なんでもないことまで怪しく感じられるようになること。

引くと牛が汗をかき、積めば家の棟に届くほどの量。蔵書が非常に多いこと。また、多くの蔵書。

問2 各2点/計10点

11 キ
12 ア
13 オ
14 コ
15 カ

(五) 対義語・類義語

各2点 計20点

グレーの部分は問題の熟語です

1 顕著《けんちょ》⇕隠微《いんび》
2 舶来《はくらい》⇕国産《こくさん》
3 地味《じみ》⇕派手《はで》
4 騰貴《とうき》⇕下落《げらく》
5 拘束《こうそく》⇕釈放《しゃくほう》

6 寡言《かげん》＝無口《むくち》
7 反感《はんかん》＝敵意《てきい》
8 折衝《せっしょう》＝談判《だんぱん》
9 功績《こうせき》＝手柄《てがら》
10 看過《かんか》＝黙認《もくにん》

6「寡言《かげん》」は口数が少ないこと。また、そのさま。
10「看過《かんか》」は知っていながら見過ごすこと。

(六) 同音・同訓異字

各2点 計20点

グレーの部分は解答の補足です

1 猶《ゆう》（予《よ》）
2 誘《ゆう》（因《いん》）
3 （独身《どくしん》）寮《りょう》
4 （同《どう》）僚《りょう》
5 （赤《せき》）痢《り》
6 （官《かん》）吏《り》

7 （婚《こん》）姻《いん》
8 （脚《きゃく》）韻《いん》
9 澄《す》（まして）
10 透《す》（かし）

2「誘因《ゆういん》」はある事柄を引き起こす原因。
6「官吏《かんり》」は国家公務員のこと。

(七) 誤字訂正

各2点 計10点

グレーの部分は誤字・正字を含む問題の補足です

〔誤〕→〔正〕
1 招介→紹介
2 不祥→不詳
3 冒して→侵して
4 渇き→乾き
5 矛循→矛盾

(八) 漢字と送りがな

各2点 計10点

1 伺《うかが》い
2 瞬《また》く
3 刺《さ》さる
4 鮮《あざ》やか
5 眺《なが》める

(九) 書き取り

各2点 計50点

グレーの部分は解答の補足です

1 妥結《だけつ》
2 開襟《かいきん》
3 屈指《くっし》
4 兼《けん》
5 迎合《げいごう》
6 歓声《かんせい》
7 将棋《しょうぎ》
8 一升瓶《いっしょうびん》
9 渓流《けいりゅう》

10 批准《ひじゅん》
11 国璽《こくじ》
12 遷都《せんと》
13 無駄《むだ》
14 干渉《かんしょう》
15 拝謁《はいえつ》
16 煩《わずら》（わしい）
17 仰《あお》（いで）
18 肩《かた》

19 夜更《よふ》（け）
20 五月雨《さみだれ》
21 穏《おだ》（やか）
22 怪《あや》（しい）
23 紅葉《もみじ》
24 柳《やなぎ》
25 肝《きも》

1「妥結《だけつ》」は利害が対立する両者がお互いに歩み寄って約束を結ぶこと。
3「屈指《くっし》」は多くの人や物の中でも、指を折って数える中に入るほど優れていること。
5「迎合《げいごう》」は自分の信念を曲げてでも、相手に調子を合わせること。
9「渓流《けいりゅう》」は谷間を流れる川。川の上流で、流れが速い場合が多い。
10「批准《ひじゅん》」は全権代表が調印した条約を、国家として承認すること。
11「国璽《こくじ》」は国の重要な文書に押される印章のこと。
15「拝謁《はいえつ》」は高貴な人や身分の高い人にお目にかかること。
20「五月雨《さみだれ》」は熟字訓。旧暦の五月に降る長雨のこと。梅雨《つゆ》。

問題は本冊P22~27

（一） 読み

各1点 計30点

グレーの部分は解答の補足です

1 けんきょ
2 せきしゅつ
3 ちゅうとん
4 ざいばつ
5 ほんそう
6 きょうげき
7 こうし
8 かんよう
9 じじょでん
10 てっかい
11 あんしょう
12 きゅうせい
13 るいけい
14 ざんこく
15 そぞう

16 ぐち
17 せんたく
18 しゅうたい
19 ていせつ
20 かんせい
21 ますせき
22 つつ
23 おちい（った）
24 えど
25 あさ
26 いちじる（しい）
27 まどわく
28 さ（いて）
29 おもかげ
30 は（える）

7「後嗣《こうし》」はあとつぎのこと。

11「暗礁《あんしょう》」は海中に隠れている岩のこと。思いがけない障害・困難の意味で使われることが多い。

15「塑像《そぞう》」は木を芯《しん》としてそこに土などを盛って作る像のこと。奈良《なら》時代に多く作られた。

（二） 部首

各1点 計10点

グレーの部分は部首の名前です

1 衣（ころも）
2 羽（はね）
3 衣（ころも）
4 工（え たくみ）
5 亅（はねぼう）

6 八（は）
7 竜（りゅう）
8 山（やま）
9 貝（かい こがい）
10 口（くち）

（三） 熟語の構成

各2点 計20点

1 イ
2 ウ
3 ア
4 エ
5 ア
6 エ
7 オ
8 イ
9 ア
10 ウ

首尾《しゅび》 首（はじめ）↕尾（おわり）

来賓《らいひん》 来（招かれて来た）↓賓（客）

侮辱《ぶじょく》 どちらも「相手を見下す」の意。

罷業《ひぎょう》 罷（中止する）↑業（業務を）

頻繁《ひんぱん》 どちらも「しばしば」の意。

赴任《ふにん》 赴（く）↑任（地に）

未熟《みじゅく》 未（否定）＋熟（す）

起伏《きふく》 起（高い）↕伏（低い）

扶助《ふじょ》 どちらも「助ける」の意。

沸点《ふってん》 沸（沸騰し始める）↓点（温度）

（四） 四字熟語

グレーの部分は解答の補足です

問1 各2点／計20点

1 夏《か》炉《ろ》冬《とう》**扇**《せん》
2 一《いっ》騎《き》**当**《とう》千《せん》
3 円《えん》**転**《てん》滑《かつ》脱《だつ》
4 四《し》分《ぶん》五《ご》**裂**《れつ》
5 軽《けい》**挙**《きょ》妄《もう》動《どう》
6 **驚**《きょう》天《てん》動《どう》地《ち》
7 換《かん》**骨**《こつ》奪《だっ》胎《たい》
8 **堅**《けん》忍《にん》不《ふ》抜《ばつ》
9 巧《こう》**遅**《ち》拙《せっ》速《そく》
10 軽《けい》**薄**《はく》短《たん》小《しょう》

夏の火鉢と冬の扇。時節に合わず役に立たないもの。類語は「十日《とおか》の菊《きく》」。

一人の騎兵が千人の敵を相手に戦うほど、強い力を持っていること。

なめらかで自由自在なこと。物事を手ぎわよく処理し滞らせないこと。

ばらばらになること。まとまっていたものが秩序をなくすこと。

よく考えもせず軽はずみに行動すること。軽率な行動。

天を驚かし、地を動かす意で、世間を大いに驚かすこと。

ほかの作品に工夫を盛り込んだり一部を変えたりして、独自の作品とすること。

困難に負けず我慢強く耐えること。類語に「志操堅固《しそうけんご》」がある。

上手で遅いより、下手でも速いほうがよいの意。古くは兵法の語。

うすっぺらで中身のないさま。

問2 各2点／計10点

11 ア
12 コ
13 ケ
14 カ
15 ウ

(五) 対義語・類義語

各2点 計20点

グレーの部分は問題の熟語です

1 吸収《きゅうしゅう》⇔発散《はっさん》
2 栽培《さいばい》⇔自生《じせい》
3 暫時《ざんじ》⇔恒久《こうきゅう》
4 快諾《かいだく》⇔固辞《こじ》
5 蛇行《だこう》⇔直進《ちょくしん》
6 紛糾《ふんきゅう》＝混乱《こんらん》
7 処理《しょり》＝始末《しまつ》
8 浄土《じょうど》＝天国《てんごく》
9 鼓舞《こぶ》＝激励《げきれい》
10 辛苦《しんく》＝難儀《なんぎ》

9「鼓舞《こぶ》」は鼓《つづみ》を打って舞わせることから、励まし元気づけること。

(六) 同音・同訓異字

各2点 計20点

グレーの部分は解答の補足です

1 (一《いち》)尉《い》
2 (無《む》)為《い》
3 (川《せん》)柳《りゅう》
4 硫《りゅう》(化《か》)
5 憤《ふん》(慨《がい》)
6 噴《ふん》(煙《えん》)
7 (誘《ゆう》)拐《かい》
8 懐《かい》(古《こ》)
9 (やぶ)蚊《か》
10 掛《か》(ける)

1「一尉《いちい》」は自衛官の階級名(略称)の一つ。
8「懐古《かいこ》」は昔のことをなつかしく思うこと。

(七) 誤字訂正

各2点 計10点

グレーの部分は誤字・正字を含む問題の補足です

	〔誤〕		〔正〕
1	謹む	→	慎む
2	後目	→	跡目
3	生選	→	生鮮
4	驚胆	→	驚嘆
5	直租	→	直訴

(八) 漢字と送りがな

各2点 計10点

1 染《そ》まる
2 恨《うら》み
3 災《わざわ》い
4 背《そむ》ける
5 遮《さえぎ》る

(九) 書き取り

各2点 計50点

グレーの部分は解答の補足です

1 合併《がっぺい》
2 余裕《よゆう》
3 門扉《もんぴ》
4 抗議《こうぎ》
5 満喫《まんきつ》
6 海峡《かいきょう》
7 緊急《きんきゅう》
8 棄権《きけん》
9 捕虜《ほりょ》
10 覇者《はしゃ》
11 賠償《ばいしょう》
12 勇敢《ゆうかん》
13 角膜《かくまく》
14 砕石《さいせき》
15 逐一《ちくいち》
16 戻《もど》(って)
17 紡《つむ》(ぐ)
18 込《こ》(んだ)
19 交《か》(う)
20 仮名《かな》
21 鎖《くさり》
22 涼《すず》(しい)
23 桃《もも》
24 飢《う》(え)
25 炎《ほのお》

5「満喫《まんきつ》」は十分に楽しむこと。存分に飲食したりすること。
9「捕虜《ほりょ》」は戦争などで敵に捕らえられた人。
10「覇者《はしゃ》」は、ここでは競技などで優勝した者。
13「角膜《かくまく》」は眼球の一番外側にある組織で、黒目の部分を覆っている。

15「逐一《ちくいち》」は一つひとつ順を追って、抜かすことなく取り上げていくこと。何から何まで全部。
23「節句《せっく》」は五節句の儀式のある日。一年間のうちの節目となる日。それぞれ行事を行い、特別な食べ物を食べる。「桃の節句」は三月三日の上巳《じょうし》の節句。

(一) 読み

グレーの部分は解答の補足です

各1点 計30点

1 だんがい
2 こんちゅう
3 いちじゅう
4 ていげん
5 かいきゅう
6 せつれつ
7 しょうやく
8 まめつ
9 けんちょ
10 ふぞく
11 よゆう
12 じょうすい
13 どんてん
14 ほんるい
15 ひそう
16 はんざつ
17 とうほん
18 ちくじ
19 きょうじゅん
20 こうおつへい
21 つ（けて）
22 もしゅ
23 きら（って）
24 ほら
25 みが（く）
26 さ（し）
27 うけたまわ（り）
28 わざもの
29 い（える）
30 よい

1 「弾劾《だんがい》」は不正や罪を調べてあばき、責任を追及すること。
3 「一汁一菜《いちじゅういっさい》」の「菜」はおかず。質素な食事のたとえ。
27 「承《うけたまわ》る」の読み方に注意。「賜《たまわ》る」と混同しない。
28 「業物《わざもの》」は切れ味の鋭い刃物。「業《わざ》」と「技《わざ》」の意味の違いに注意しよう。

(二) 部首

グレーの部分は部首の名前です

各1点 計10点

1 大（だい）
2 二（に）
3 心（こころ）
4 行（ぎょうがまえ ゆきがまえ）
5 女（おんな）
6 山（うけばこ）
7 口（くち）
8 干（かん いちじゅう）
9 口（くち）
10 石（いし）

(三) 熟語の構成

各2点 計20点

1 ウ
2 エ
3 イ
4 ア
5 ア
6 オ
7 ア
8 イ
9 ウ
10 エ

公僕《こうぼく》 公（の）↓僕（しもべ）。公務員のこと。
翻意《ほんい》 翻（す）↑意（を）
出没《しゅつぼつ》 出（現れること）↕没（隠れること）
悠長《ゆうちょう》 どちらも「ゆったりしている」の意。
素朴《そぼく》 どちらも「飾り気がない」の意。
未踏《みとう》 未（否定）＋踏（む）
紡績《ぼうせき》 どちらも「糸をつむぐ」の意。
明滅《めいめつ》 明（明かりがつく）↕滅（消える）
奔流《ほんりゅう》 奔（勢いよくほとばしる）↓流（れ）
喫煙《きつえん》 喫（吸う）↑煙（たばこを）

(四) 四字熟語

グレーの部分は解答の補足です

問1 各2点／計20点

1 兼《けん》愛《あい》無《む》私《し》
2 呉《ご》越《えつ》同《どう》舟《しゅう》
3 威《い》風《ふう》堂《どう》堂《どう》
4 鶏《けい》口《こう》牛《ぎゅう》後《ご》
5 気《き》炎《えん》万《ばん》丈《じょう》
6 佳《か》人《じん》薄《はく》命《めい》
7 現《げん》状《じょう》維《い》持《じ》
8 群《ぐん》雄《ゆう》割《かっ》拠《きょ》
9 空《くう》中《ちゅう》楼《のろう》閣《かく》
10 誇《こ》大《だい》妄《もう》想《そう》

区別なく広く人を愛すること。
仲の悪い者同士が同じ場所や境遇にいたり、行動を共にしたりするさま。
重々しくどっしりと威力に満ちているさま。
大集団の末尾にいるより、小集団でよいからその先頭に立つべきだということ。
燃え盛る炎のように意気盛んであるさま。
美しい女性は、とかく不運で短命であるということ。「佳人」は美人。
現在の状況をそのまま変化させないこと。類語に「現状保持《げんじょうほじ》」がある。
多くの英雄が各地で勢力を張り、対立すること。
空中に築かれた建造物（蜃気楼《しんきろう》）のように、根拠がないさま。類語は「砂上楼閣《さじょうのろうかく》」。
自分の能力や状態などを、実際よりずっと過大なものと思い込むさま。

問2 各2点／計10点

11 ア
12 キ
13 ク
14 カ
15 ウ

問題は本冊 P28-33

(五) 対義語・類義語

各2点 計20点

グレーの部分は問題の熟語です

1 削除《さくじょ》⇔添加《てんか》
2 普遍《ふへん》⇔例外《れいがい》
3 親切《しんせつ》⇔冷淡《れいたん》
4 来訪《らいほう》⇔辞去《じきょ》
5 卑下《ひげ》⇔自慢《じまん》

6 窮地《きゅうち》＝苦境《くきょう》
7 上達《じょうたつ》＝向上《こうじょう》
8 陰謀《いんぼう》＝策略《さくりゃく》
9 肯定《こうてい》＝是認《ぜにん》
10 驚倒《きょうとう》＝仰天《ぎょうてん》

2「普遍《ふへん》」はすべてに共通するもの。

5「卑下《ひげ》」は自分をほかより劣るものとして扱うこと。

(六) 同音・同訓異字

各2点 計20点

グレーの部分は解答の補足です

1 (地《ち》)殻《かく》
2 (威《い》)嚇《かく》
3 (一《いっ》)喝《かつ》
4 (管《かん》)轄《かつ》
5 缶《かん》(詰《づめ》)
6 患《かん》(者《じゃ》)

7 (潔《けっ》)斎《さい》
8 (主《しゅ》)宰《さい》
9 堪《た》(えない)
10 絶《た》(つ)

8「主宰《しゅさい》」は多くの人々の中心になって物事を行うこと。「主催《しゅさい》」と混同しないように注意。

(七) 誤字訂正

各2点 計10点

グレーの部分は誤字・正字を含む問題の補足です

〔誤〕→〔正〕

1 光択→光沢
2 超躍→跳躍
3 属語→俗語
4 蔵与→贈与
5 抜ぐ→脱ぐ

(八) 漢字と送りがな

各2点 計10点

1 謝《あやま》っ
2 寂《さび》しい
3 畳《たた》む
4 鍛《きた》える
5 薦《すす》める

(九) 書き取り

各2点 計50点

グレーの部分は解答の補足です

1 倫理《りんり》
2 土壌《どじょう》
3 一斉《いっせい》
4 軍需《ぐんじゅ》
5 不遇《ふぐう》
6 休憩《きゅうけい》
7 娯楽《ごらく》
8 解雇《かいこ》
9 派閥《はばつ》

10 国賓《こくひん》
11 風鈴《ふうりん》
12 監督《かんとく》
13 平穏《へいおん》
14 崇高《すうこう》
15 雰囲気《ふんいき》
16 猛者《もさ》
17 偽札《にせさつ》
18 若人《わこうど》

19 紫《むらさき》
20 趣《おもむき》
21 控《ひか》(え)
22 賄《まかな》(い)
23 湿《しめ》(った)
24 雨漏《あまも》(り)
25 召《め》(し上《あ》がった)

5「不遇《ふぐう》」は才能がありながらもふさわしい地位や待遇に恵まれないこと。

10「国賓《こくひん》」は国家が国費で接待する外国の要人。

13「平穏無事《へいおんぶじ》」は穏やかで変わったこともない様子のこと。

14「崇高《すうこう》」は気高く貴いさま。


18「若人《わこうど》」は年の若い人。若者。

20「趣《おもむき》」はしみじみとした味わい。風情。

22「賄《まかな》い料理」は、従業員の食事のために、飲食店で料理人があり合わせの材料で作る料理。単に「賄い」ともいう。

第5回テスト 解答・解説

問題は本冊 P34-39

（一）読み

グレーの部分は解答の補足です

各1点 計30点

1 しょうがい
2 ちつじょ
3 りん
4 あかんたい
5 じゅうじつ
6 べっそう
7 せっとう
8 はんぷ
9 こんだん
10 ぎょじ
11 ていさつ
12 じゅうなん
13 かじょう
14 ますい
15 いっしょう
16 けんあん
17 がっぺい
18 かくしん
19 ゆうし
20 いかん
21 う（え）
22 みさき
23 みぞ
24 つぐな（う）
25 しの（び）
26 も
27 えがお
28 もっぱ（ら）
29 おごそ（か）
30 やまと

8「頒布《はんぷ》」は資料や品物などを広く配ること。

11「偵察《ていさつ》」は敵や相対するものの状態・様子などを、相手に見つからないように探ること。

16「懸案《けんあん》」は以前から問題になっていて、まだ解決されていないこと。

（二）部首

グレーの部分は部首の名前です

各1点 計10点

1 一（いち）
2 又（また）
3 口（くち）
4 缶（ほとぎ）
5 羊（ひつじ）
6 行（ぎょうがまえ ゆきがまえ）
7 甘（かん あまい）
8 𤴔（ひき）
9 ノ（の はらいぼう）
10 乙（おつ）

（三）熟語の構成

各2点 計20点

1 イ
2 エ
3 ア
4 ウ
5 ア
6 イ
7 エ
8 オ
9 ウ
10 ウ

雌雄《しゆう》 雌（めす）⇔雄（おす）
架橋《かきょう》 架（ける）↑橋（を）
凡庸《ぼんよう》 どちらも「ふつう」の意。
主旨《しゅし》 主（となる）↓旨（考え）
裕福《ゆうふく》 どちらも「ゆたか」の意。
優劣《ゆうれつ》 優（れる）⇔劣（る）
抜糸《ばっし》 抜（く）↑糸（を）
無味《むみ》 無（否定）＋味
酪農《らくのう》 酪（乳製品をつくる）↓農（農業）
酷似《こくじ》 酷（きわめて）↓似（る）

（四）四字熟語

問1 各2点／計20点

1 物《ぶっ》議《ぎ》騒《そう》然《ぜん》
2 鯨《げい》飲《いん》馬《ば》食《しょく》
3 士《し》魂《こん》商《しょう》才《さい》
4 山《さん》紫《し》水《すい》明《めい》
5 挙《きょ》国《こく》一《いっ》致《ち》
6 質《しつ》実《じつ》剛《ごう》健《けん》
7 怪《かい》力《りき》乱《らん》神《しん》
8 疾《しっ》風《ぷう》迅《じん》雷《らい》
9 公《こう》序《じょ》良《りょう》俗《ぞく》
10 権《けん》謀《ぼう》術《じゅっ》数《すう》

グレーの部分は解答の補足です

世間、世人が穏やかでなく騒がしい状態。類語に「物情騒然《ぶつじょうそうぜん》」がある。

鯨のように飲み、馬のように食べる。一度に多量の飲食をすること。類語は「牛飲馬食《ぎゅういんばしょく》」。

武士の高潔な精神と商人の計算高さを兼ね備えること。

山が陽光を受けて紫色に映え、流れる川の水は澄んで清らかなこと。

国全体が心を一つにして同じ目的に向かうこと。非常事態に用いられる言葉。

飾り気がなく、まじめで、心身ともに強くしっかりしていること。

人間の知恵では理解できない不思議な物事や、超自然的な現象のたとえ。

強く吹く風と、激しい雷鳴のこと。転じて、変化や行動が素早く激しいさま。

公共の秩序《ちつじょ》と、善良な風俗。

人をあざむく、たくらみやはかりごと。

問2 各2点／計10点

11 オ
12 エ
13 ク
14 キ
15 コ

(五) 対義語・類義語

各2点 計20点

グレーの部分は問題の熟語です

1 韻文《いんぶん》⇔散文《さんぶん》
2 広大《こうだい》⇔狭小《きょうしょう》
3 謙譲《けんじょう》⇔尊大《そんだい》
4 衰微《すいび》⇔繁栄《はんえい》
5 負債《ふさい》⇔資産《しさん》

6 矯正《きょうせい》＝是正《ぜせい》
7 快活《かいかつ》＝陽気《ようき》
8 逝去《せいきょ》＝死亡《しぼう》
9 傾向《けいこう》＝風潮《ふうちょう》
10 敢闘《かんとう》＝奮戦《ふんせん》

1「韻文《いんぶん》」は和歌や俳句など韻律を持った文。「散《さん》文《ぶん》」は音数に制限がなく、自由につづったもの。

(六) 同音・同訓異字

各2点 計20点

グレーの部分は解答の補足です

1 （便《べん》）宜《ぎ》
2 擬《ぎ》（態《たい》）
3 循《じゅん》（環《かん》）
4 準《じゅん》（備《び》）
5 脅《きょう》（威《い》）
6 享《きょう》（受《じゅ》）

7 （滅《めっ》）菌《きん》
8 緊《きん》（急《きゅう》）
9 伏《ふ》（せて）
10 噴《ふ》（く）

2「擬態《ぎたい》」は動物が他者の攻撃から身を守るために、周囲の植物などに体を似せること。

(七) 誤字訂正

各2点 計10点

グレーの部分は誤字・正字を含む問題の補足です

〔誤〕　〔正〕

1 済まして→澄まして
2 透走→逃走
3 倒来→到来
4 過途期→過渡期
5 防波提→防波堤

(八) 漢字と送りがな

各2点 計10点

1 尽《つ》くし
2 承《うけたまわ》り
3 震《ふる》え
4 鈍《にぶ》い
5 潤《うるお》う

(九) 書き取り

各2点 計50点

グレーの部分は解答の補足です

1 建立《こんりゅう》
2 紛糾《ふんきゅう》
3 獣医《じゅうい》
4 坑道《こうどう》
5 孤島《ことう》
6 克服《こくふく》
7 投獄《とうごく》
8 把握《はあく》
9 表彰《ひょうしょう》

10 推薦《すいせん》
11 堕落《だらく》
12 謄本《とうほん》
13 疎遠《そえん》
14 遅刻《ちこく》
15 泌尿器《ひにょうき》
16 陥《おちい》（る）
17 寂《さび》
18 詳《くわ》（しく）

19 吹雪《ふぶき》
20 喪中《もちゅう》
21 挑《いど》（む）
22 陰干《かげぼ》（し）
23 塗《ぬ》（る）
24 襟《えり》
25 偏《かたよ》（った）

4「坑道《こうどう》」は地下につくられた道。とくに、鉱山や炭山などの内部の通路。

5「陸の孤島《ことう》」は公共交通が極端に不便であり、あたかも孤島のように周囲から隔絶している場所のこと。

6「克服《こくふく》」は努力して困難な状況を乗り越えること。

13「疎遠《そえん》」は相手との関係が薄くなること。交際が久しく途絶えていること。また、そのさま。

17「寂《さび》」は、ここでは声が低く趣のあること。

24「襟《えり》を開く」は隠しだてをせず、心中に思っていることを打ち明ける。「胸襟《きょうきん》を開く」も同じ。

準2級 第6回 テスト 解答・解説

問題は本冊 P40~45

(一) 読み

グレーの部分は解答の補足です

各1点 計30点

1 ききょう
2 どべい
3 しっこく
4 さっきん
5 けんぎ
6 じょうせい
7 いかん
8 ちゃくりゅう
9 しょうぞう
10 ぼんよう
11 そうさく
12 かんれき
13 じゅうたい
14 にんしん
15 しゅうわい
16 せいひ
17 しゅうてい
18 げんがく
19 けんあん
20 すいせん
21 いつわ(らぬ)
22 すた(れて)
23 ただ(し)
24 つなみ
25 くだ(かれた)
26 ひとあわ
27 たたか(って)
28 しばふ
29 かみひとえ
30 なごり

1「奇矯《ききょう》」は言動が普通とは異なること。
7「尉官《いかん》」は軍隊の将校の地位。上に佐官と将官がある。
8「嫡流《ちゃくりゅう》」は代々家督を受け継いでいる正統な血筋。
30「名残《なごり》の月」は明け方に空に残っている月のこと。

(二) 部首

グレーの部分は部首の名前です

各1点 計10点

1 幺(よう いとがしら)
2 水(みず)
3 亠(なべぶた けいさんかんむり)
4 王(おう)
5 里(さと)
6 一(いち)
7 手(て)
8 广(まだれ)
9 工(え たくみ)
10 力(ちから)

(三) 熟語の構成

各2点 計20点

1 ウ
2 イ
3 オ
4 エ
5 ウ
6 ア
7 ウ
8 ア
9 イ
10 エ

逸品《いっぴん》 逸(優れた)↓品
多寡《たか》 多(いこと)↕寡(少ないこと)
無粋《ぶすい》 無(否定)+粋(あかぬける)
背信《はいしん》 背(裏切る)↑信(頼を)
年俸《ねんぽう》 年(一年分の)↓俸(給料)
婚姻《こんいん》 どちらも「夫婦の縁組をする」の意。
亜流《ありゅう》 亜(一流のまねをする)↓流(人)
併合《へいごう》 どちらも「あわせる」の意。
禍福《かふく》 禍(災い)↕福(幸せ)
閲兵《えっぺい》 閲(見て確かめる)↑兵(を)

(四) 四字熟語

グレーの部分は解答の補足です

問1 各2点/計20点

1 **試**《し》行《こう》錯《さく》誤《ご》
2 取《しゅ》**捨**《しゃ》選《せん》択《たく》
3 周《しゅう》**知**《ち》徹《てっ》底《てい》
4 沈《ちん》思《し》**黙**《もっ》考《こう》
5 不《ふ》**朽**《きゅう》不《ふ》滅《めつ》
6 色《しき》**即**《そく》是《ぜ》空《くう》
7 五《ご》里《り》**霧**《む》中《ちゅう》
8 人《じん》面《めん》**獣**《じゅう》心《しん》
9 孤《こ》**城**《じょう》落《らく》日《じつ》
10 要《よう》害《がい》**堅**《けん》固《ご》

試みと失敗を繰り返しながら適切な方法を見つけること。
必要なものを取り、不必要なものを捨てて選び取ること。
世間一般、広くすみずみまで知れわたるようにすること。
静かにじっとして、深く考え込むこと。
いつまでも滅びたり消えたりしないこと。
現世にある万物はすべて実体がなく、「空(くう)」であるという仏教の教え。
手がかりがないため、現在の状況や進むべき方角の判断がつかないさま。
人間の顔をしていても、心は獣のように冷酷《れいこく》であるさま。
孤立無援の城に沈む夕日がさし込む光景。勢力も傾き、助けもこず心細いさま。
険しい地形にあり、守りがかたい所。

問2 各2点/計10点

11 キ
12 ク
13 エ
14 コ
15 ケ

(五) 対義語・類義語

各2点 計20点

グレーの部分は問題の熟語です

1 高騰《こうとう》⇔低落《ていらく》
2 酷評《こくひょう》⇔絶賛《ぜっさん》
3 従順《じゅうじゅん》⇔強情《ごうじょう》
4 発端《ほったん》⇔結末《けつまつ》
5 弔電《ちょうでん》⇔祝電《しゅくでん》
6 火急《かきゅう》＝切迫《せっぱく》
7 冠省《かんしょう》＝前略《ぜんりゃく》
8 正邪《せいじゃ》＝理非《りひ》
9 達者《たっしゃ》＝健全《けんぜん》
10 考慮《こうりょ》＝思案《しあん》

7「冠省《かんしょう》」「前略《ぜんりゃく》」は、手紙で時候のあいさつなどをはぶくこと。また、そのときに書く語。

(六) 同音・同訓異字

各2点 計20点

グレーの部分は解答の補足です

1 継《けい》(続《ぞく》)
2 携《けい》(帯《たい》)
3 兼《けん》(務《む》)
4 圏《けん》(内《ない》)
5 紹《しょう》(介《かい》)
6 (液《えき》)晶《しょう》
7 恒《こう》(久《きゅう》)
8 拘《こう》(束《そく》)
9 惜《お》(しむ)
10 生《お》(い)

7「恒久《こうきゅう》」はいつまでも変わらないこと。永久。

(七) 誤字訂正

各2点 計10点

グレーの部分は誤字・正字を含む問題の補足です

〔誤〕 〔正〕

1 同体 → 胴体
2 起爆財 → 起爆剤
3 彼害者 → 被害者
4 新朗 → 新郎
5 金字搭 → 金字塔

(八) 漢字と送りがな

各2点 計10点

1 訴《うった》え
2 速《すみ》やか
3 占《うらな》っ
4 怪《あや》しま
5 償《つぐな》う

(九) 書き取り

各2点 計50点

グレーの部分は解答の補足です

1 地下茎《ちかけい》
2 騒然《そうぜん》
3 換気扇《かんきせん》
4 湿気《しっけ》
5 削減《さくげん》
6 催促《さいそく》
7 開墾《かいこん》
8 尚早《しょうそう》
9 詩吟《しぎん》
10 頑固《がんこ》
11 余韻《よいん》
12 頻発《ひんぱつ》
13 感銘《かんめい》
14 顕微鏡《けんびきょう》
15 盆《ぼん》
16 浸《ひた》(る)
17 尽《つ》(き)
18 履《は》(き)
19 載《の》(せる)
20 潤《うるお》(う)
21 靴下《くつした》
22 挟《はさ》(んで)
23 遮《さえぎ》(られた)
24 雷雲《かみなりぐも》
25 小豆《あずき》

2「騒然《そうぜん》」はがやがやと騒がしいさま。

8「時期尚早《じきしょうそう》」は、あることを行うにはまだ時が早すぎること。また、そのさま。

9「詩吟《しぎん》」は漢詩に独特の節をつけて詠んだもの。

11「余韻《よいん》」は物事が終わったあとに残る風情や味わい。また、音を鳴らしたときに音の消えたあとまでかすかに残る響き。この場合は「余音」とも書く。

12「頻発《ひんぱつ》」は短期間に次々と同じような事件や事故が起こること。

13「感銘《かんめい》」は深く感動して忘れられないこと。

19 新聞や本などに記事を掲載する場合には「載《の》せる」を使う。「乗せる」と間違えないように注意しよう。

問題は本冊P46~51

(一) 読み

グレーの部分は解答の補足です　各1点 計30点

1 きんせん
2 もとせん
3 こうてつ
4 いつざい
5 しへい
6 かんたい
7 ごおん
8 じゅうげき
9 にんたい
10 まっしょう
11 どじょう
12 ちゅうしん
13 そうわ
14 しょうぶ
15 こうかく
16 きょうさ
17 ひろう
18 しゃだん
19 ぜんしん
20 らくのう
21 こば（む）
22 やわ（らか）
23 さと（す）
24 くちびる
25 たな
26 かわせ
27 うわ（ついた）
28 た（ち）
29 いくじ
30 さる

1「心の琴線《きんせん》に触れる」とは読み手や聞き手に大きな感動を与えること。

12「衷心《ちゅうしん》から」は心の奥底からという意味。

14「尚武《しょうぶ》」は武道を重んじること。

30「猿《さる》も木から落ちる」はどんなに上手な人でも時には失敗することがあるということ。

(二) 部首

グレーの部分は部首の名前です　各1点 計10点

1 田（た）
2 立（たつ）
3 曰（ひらび いわく）
4 心（こころ）
5 木（き）
6 糸（いと）
7 口（くち）
8 酉（とりへん）
9 干（かん いちじゅう）
10 八（はち）

(三) 熟語の構成

各2点 計20点

1 イ
2 ウ
3 エ
4 ア
5 オ
6 ア
7 ア
8 エ
9 ウ
10 ア

緩急《かんきゅう》　緩（やかに）↕急（いで）
豪邸《ごうてい》　豪（立派な）↓邸（家）
換気《かんき》　換（入れかえる）↑気（空気を）
核心《かくしん》　どちらも「中心」の意。
未納《みのう》　未（否定）＋納（める）
帰還《きかん》　どちらも「かえる」の意。
枢要《すうよう》　どちらも「かなめ」の意。
製缶《せいかん》　製（つくる）↑缶（を）
熟睡《じゅくすい》　熟（ぐっすりと）↓睡（眠る）
閑暇《かんか》　どちらも「ひま」の意。

(四) 四字熟語

グレーの部分は解答の補足です

問1　各2点／計20点

1 厚《こう》顔《がん》無《む》**恥**《ち》
2 情《じょう》**状**《じょう》酌《しゃく》量《りょう》
3 優《ゆう》勝《しょう》**劣**《れっ》敗《ぱい》
4 首《しゅ》**尾**《び》一《いっ》貫《かん》
5 神《しん》出《しゅつ》**鬼**《き》没《ぼつ》
6 志《し》操《そう》堅《けん》**固**《ご》
7 支《し》**離**《り》滅《めつ》裂《れつ》
8 小《しょう》人《じん》閑《かん》**居**《きょ》
9 証《しょう》**拠**《こ》隠《いん》滅《めつ》
10 **森**《しん》羅《ら》万《ばん》象《しょう》

あつかましくて恥知らずなさま。

刑事裁判で、犯罪に至った事情の同情すべき点を考慮し刑罰を軽減すること。

生存競争で、優れている者が勝ち、劣っている者が負けること。

最初から最後まで態度や方針が変わらないこと。類語に「終始一貫《しゅうしいっかん》」がある。

すばやく自由自在に現れたり隠れたりすること。所在が容易につかめないさま。

正しいと信じる主義や志がしっかりと定まっていて、容易にはくずれないこと。

筋道や構成などがばらばらで、完全にまとまりを失っている状態。

「小人閑居《しょうじんかんきょ》して不善《ふぜん》をなす」と用い、小人物は暇があると悪事に走りやすいことをいう。

事実を証明する根拠となるものをなくすこと。

この世に存在するすべてのもの・現象。「万象」は「ばんぞう」「まんぞう」とも読む。

問2　各2点／計10点

11 コ
12 キ
13 エ
14 オ
15 イ

(五) 対義語・類義語

各2点 計20点

グレーの部分は問題の熟語です

1 抄訳《しょうやく》⇔完訳《かんやく》
2 定着《ていちゃく》⇔移動《いどう》
3 沈滞《ちんたい》⇔活況《かっきょう》
4 希薄《きはく》⇔濃密《のうみつ》
5 清浄《しょうじょう》⇔汚濁《おだく》

6 吟詠《ぎんえい》＝朗唱《ろうしょう》
7 憶測《おくそく》＝推察《すいさつ》
8 没頭《ぼっとう》＝熱中《ねっちゅう》
9 喪心《そうしん》＝気絶《きぜつ》
10 警戒《けいかい》＝用心《ようじん》

1「抄訳《しょうやく》」は原文の一部を抜き出して訳すこと。

9「喪心《そうしん》」は気を失うこと。

(六) 同音・同訓異字

各2点 計20点

グレーの部分は解答の補足です

1 (開《かい》)墾《こん》
2 懇《こん》(親会《しんかい》)
3 鎖《さ》(骨《こつ》)
4 詐《さ》(取《しゅ》)
5 寛《かん》(大《だい》)
6 簡《かん》(単《たん》)

7 (思《し》)索《さく》
8 削《さく》(減《げん》)
9 尽っ(きて)
10 突っ(いて)

5「寛大《かんだい》」は度量が大きく思いやりがあること。

また、そのさま。

(七) 誤字訂正

各2点 計10点

グレーの部分は誤字・正字を含む問題の補足です

〔誤〕		〔正〕
1 販入	↓	搬入
2 美に入り	↓	微に入り
3 非疑者	↓	被疑者
4 銀蛮	↓	銀盤
5 裂けて	↓	避けて

(八) 漢字と送りがな

各2点 計10点

1 嘆《なげ》かわしい
2 省《かえり》みる
3 悟《さと》っ
4 慰《なぐさ》める
5 涼《すず》む

(九) 書き取り

各2点 計50点

グレーの部分は解答の補足です

1 便宜《べんぎ》
2 弾劾《だんがい》
3 循環器《じゅんかんき》
4 師匠《ししょう》
5 鐘楼《しょうろう》
6 審美眼《しんびがん》
7 雪辱《せつじょく》
8 怠惰《たいだ》
9 駆逐《くちく》

10 伴奏《ばんそう》
11 駐屯《ちゅうとん》
12 妥協《だきょう》
13 迅速《じんそく》
14 打撲《だぼく》
15 料亭《りょうてい》
16 鼻緒《はなお》
17 致《いた》(し)
18 淡《あわ》(い)

19 甚《はなは》(だ)
20 行方《ゆくえ》
21 浅瀬《あさせ》
22 弾《はず》(む)
23 寝坊《ねぼう》
24 畳《たたみ》
25 敷《し》(き)

5「鐘楼《しょうろう》」はお寺の境内にあって鐘がつるされている建物のこと。鐘をつくことで時を知らせる役割をもつ。

6「審美眼《しんびがん》」は美を見分ける能力。

7「雪辱《せつじょく》を果たす」は試合などに一度負けたことのある相手に勝つことで名誉を取り戻すこと。


9「駆逐《くちく》」は敵や妨げになるものを追い払うこと。

11「駐屯《ちゅうとん》」は軍隊が一つの場所にとどまっていること。

12「妥協《だきょう》」は対立していた事柄について、双方または一方が譲ることで意見を一致させ、穏やかに解決すること。

(一) 読み

グレーの部分は解答の補足です

各1点 計30点

1 ちょうだ
2 せんかい
3 こんいん
4 かんめい
5 ていねい
6 さしょう
7 いご
8 しょうじょう
9 いかく
10 じょうぞう
11 きんしん
12 へいがい
13 せきり
14 ほうそう
15 がんきょう
16 はくしゅく
17 きげん
18 ひめん
19 かんてつ
20 ちょうじ
21 おそれ
22 かまもと
23 はだ
24 み(て)
25 あかつき
26 かさ
27 こもり
28 ととの(える)
29 やおもて
30 つ(る)

14「法曹界《ほうそうかい》」は法律に関係する人の社会のこと。
21「虞《おそれ》」は「恐れ」とも書く。
29「矢《や》面《おもて》に立つ」は他者からの非難や質問などを受ける立場に身を置くこと。

(二) 部首

グレーの部分は部首の名前です

各1点 計10点

1 木(き)
2 臼(うす)
3 禾(のぎへん)
4 止(とめる)
5 斉(せい)
6 日(ひへん)
7 土(つち)
8 入(ひとやね)
9 曰(ひらび いわく)
10 木(き)

(三) 熟語の構成

各2点 計20点

1 エ
2 イ
3 エ
4 ウ
5 ア
6 ア
7 ア
8 ウ
9 イ
10 オ

棄《き》権《けん》 棄(捨てる)↑権(権利を)
真《しん》偽《ぎ》 真(実)↕偽(いつわり)
即《そく》位《い》 即(つく)↑位(君主の位に)
必《ひっ》携《けい》 必(ず)↓携《たずさ》(える)
拒《きょ》否《ひ》 どちらも「同意しない」の意。
矯《きょう》正《せい》 どちらも「悪い点をよくする」の意。
吟《ぎん》詠《えい》 どちらも「声を出して歌をうたう」の意。
楽《がく》譜《ふ》 楽(音楽の)↓譜(譜面)
吉《きっ》凶《きょう》 吉(幸い)↕凶(災い)
未《み》了《りょう》 未(否定)＋了(終わる・終える)

(四) 四字熟語

グレーの部分は解答の補足です

問1 各2点／計20点

1 深《しん》山《ざん》**幽**《ゆう》谷《こく》
2 **衆**《しゅう》人《じん》環《かん》視《し》
3 迅《じん》速《そく》果《か》**断**《だん》
4 **権**《けん》謀《ぼう》術《じゅっ》数《すう》
5 勢《せい》力《りょく》伯《はく》**仲**《ちゅう》
6 清《せい》廉《れん》**潔**《けっ》白《ぱく》
7 **初**《しょ》志《し》貫《かん》徹《てつ》
8 心《しん》頭《とう》滅《めっ》**却**《きゃく》
9 自《じ》力《りき》**更**《こう》生《せい》
10 酔《すい》生《せい》**夢**《む》死《し》

人里を離れた奥深い山々や、物の形がはっきりしないほど深い谷。
多くの人が取り巻いて見ていること。物事が白日の下にさらされることにもいう。
すばやく大胆に物事を行うこと。類語に「即《そく》断《だん》即《そっ》決《けつ》」「迅《じん》速《そく》果《か》敢《かん》」がある。
人をあざむく、たくらみやはかりごと。
二つの勢力に優劣がないこと。
心が澄んでいて私利私欲がないさま。類語に「青《せい》天《てん》白《はく》日《じつ》」がある。
最初に心に決めた志を最後までつらぬき通すこと。
一切の雑念を取り去ること。「心頭滅却すれば火もまた涼し」と用いる。
他人に頼らず自分の力で生活を改めていくこと。
ただぼんやりと、無駄に一生を過ごすこと。

問2 各2点／計10点

11 オ
12 ウ
13 コ
14 イ
15 カ

問題は本冊P52~57

(五) 対義語・類義語

各2点 計20点

グレーの部分は問題の熟語です

1 宣戦《せんせん》⇕講和《こうわ》
2 閑散《かんさん》⇕繁忙《はんぼう》
3 怠慢《たいまん》⇕勤勉《きんべん》
4 疎遠《そえん》⇕親近《しんきん》
5 反抗《はんこう》⇕服従《ふくじゅう》
6 看護《かんご》＝介抱《かいほう》
7 策謀《さくぼう》＝計略《けいりゃく》
8 変遷《へんせん》＝推移《すいい》
9 屈指《くっし》＝抜群《ばつぐん》
10 邪心《じゃしん》＝悪意《あくい》

9「屈指《くっし》」は多くの人や物の中でも、指を折って数える中に入るほど優れていること。

(六) 同音・同訓異字

各2点 計20点

グレーの部分は解答の補足です

1 （男《だん》）爵《しゃく》
2 （解《かい》）釈《しゃく》
3 （老《ろう》）朽《きゅう》（化《か》）
4 窮《きゅう》（屈《くつ》）
5 （静《せい》）粛《しゅく》
6 宿《しゅく》（敵《てき》）
7 充《じゅう》（実《じつ》）
8 （一《いち》）汁《じゅう》
9 彫《ほ》（る）
10 干《ほ》（す）

8「一汁一菜《いちじゅういっさい》」は一種類の汁と一種類のおかずのこと。質素な食事。

(七) 誤字訂正

各2点 計10点

グレーの部分は誤字・正字を含む問題の補足です

	〔誤〕		〔正〕
1	侵して	→	冒して
2	掛けずり	→	駆けずり
3	典示	→	展示
4	全腹	→	全幅
5	紛煙	→	噴煙

(八) 漢字と送りがな

各2点 計10点

1 退《しりぞ》ける
2 忍《しの》ん
3 著《いちじる》しい
4 滞《とどこお》る
5 偏《かたよ》っ

(九) 書き取り

各2点 計50点

グレーの部分は解答の補足です

1 壮大《そうだい》
2 水滴《すいてき》
3 守銭奴《しゅせんど》
4 結晶《けっしょう》
5 一隻《いっせき》
6 潜水《せんすい》
7 基礎《きそ》
8 煩雑《はんざつ》
9 奔放《ほんぽう》
10 酪農《らくのう》
11 天涯《てんがい》
12 好奇心《こうきしん》
13 謙虚《けんきょ》
14 愉快《ゆかい》
15 暴騰《ぼうとう》
16 唐《から》
17 隅《すみ》
18 盗《ぬす》（み）
19 迎《むか》（え）
20 鈴《すず》
21 双子《ふたご》
22 暇《ひま》
23 渇《かわ》（く）
24 伺《うかが》（い）
25 蚊《か》

3「守銭奴《しゅせんど》」はけちな人。

8「煩雑《はんざつ》」は込み入っていてわずらわしいこと。また、そのさま。同音異義語の「繁雑《はんざつ》」は、なすべきことが多すぎてごたごたしていること。

9「奔放《ほんぽう》」はほかを気にせず、自分の思うように振る舞うこと。

11「天涯孤独《てんがいこどく》」は身寄りが一人もいない状態のこと。

16「唐紙《からかみ》」は中国渡来の紙。のちに、それに似せた日本の紙も唐紙と呼ばれるようになった。

問題は本冊
P58~63

(一) 読み

グレーの部分は解答の補足です

各1点
計30点

1 じっせん
2 しぎん
3 りこう
4 ふしょうじ
5 おんいん
6 ちょうこう
7 そうしつ
8 はあく
9 もうそう
10 いっかつ
11 へんしょく
12 らいひん
13 しゅくじょ
14 きが
15 ふんさい
16 ちょうせん
17 てっしゅう
18 さばく
19 まっしょう
20 しゃっかん
21 うね
22 こ(りて)
23 あざむ(く)
24 うずしお
25 わずら(わしい)
26 たまわ(る)
27 こと
28 お(されて)
29 の(き)
30 あずき

4 「不祥事《ふしょうじ》」は二度とあってはならない、好ましくないこと。同じつくりの字を使う「不詳」と混同しないように。
30 「小豆《あずき》」は熟字訓。なお、「小正月《こしょうがつ》」は陰暦で、正月十五日を中心とした前後三日間の称。

(二) 部首

グレーの部分は部首の名前です

各1点
計10点

1 爫(つめかんむり)(つめがしら)
2 衣(ころも)
3 ム(む)
4 自(みずから)
5 木(き)
6 禾(のぎ)
7 女(おんな)
8 欠(あくび)(かける)
9 聿(ふでづくり)
10 匸(はこがまえ)

(三) 熟語の構成

各2点
計20点

1 オ
2 ウ
3 ア
4 エ
5 イ
6 エ
7 ウ
8 ア
9 イ
10 イ

無為《むい》 無(否定)+為(行う)
傑作《けっさく》 傑(優れた)↓作(作品)
充当《じゅうとう》 どちらも「あてる」の意。
嫌煙《けんえん》 嫌(う)↑煙(たばこを)
慶弔《けいちょう》 慶(祝いごと)⇕弔(とむらいごと)
応募《おうぼ》 応(じる)↑募(募集に)
傍聴《ぼうちょう》 傍《かたわ》(らで)↓聴《き》(く)
勧奨《かんしょう》 どちらも「すすめる」の意。
甲乙《こうおつ》 甲(第一)⇕乙(第二)
剛柔《ごうじゅう》 剛(かたいこと)⇕柔(らかいこと)

(四) 四字熟語

グレーの部分は解答の補足です

問1 各2点/計20点

1 泰《たい》然《ぜん》自《じ》若《じゃく》
2 粗《そ》衣《い》粗《そ》食《しょく》
3 新《しん》陳《ちん》代《たい》謝《しゃ》
4 白《はく》日《じつ》昇《しょう》天《てん》
5 主《しゅ》客《かく》転《てん》倒《とう》
6 人《じん》跡《せき》未《み》踏《とう》
7 深《しん》謀《ぼう》遠《えん》慮《りょ》
8 縦《じゅう》横《おう》無《む》尽《じん》
9 徹《てっ》頭《とう》徹《てつ》尾《び》
10 大《たい》言《げん》壮《そう》語《ご》

気持ちが落ち着いて物事に動揺しないさま。

質素で貧しい生活。

古いものと新しいものが入れ替わること。

仙人になること。また、急に富貴《ふうき》になること。いやしい者が急に出世すること。

物事の軽重《けいちょう》や重要度が逆転していること。「主客」は「しゅきゃく」とも読む。

いまだかつて、人が足を踏み入れたことのないこと。

はるか先のことまで考えて立てた周到な計略。

この上なく自由自在で思う存分にふるまうこと。類語は「自由自在」「縦横自在」。

始めから終わりまで。一から十まで。類語に「終始《しゅうし》一貫《いっかん》」「首尾《しゅび》一貫《いっかん》」がある。

ふさわしくない大きなことを言うこと。また、その言葉。

問2 各2点/計10点

11 ア
12 キ
13 オ
14 コ
15 ケ

(五) 対義語・類義語

各2点 計20点

グレーの部分は問題の熟語です

1 束縛《そくばく》⇔自由《じゆう》
2 淡泊《たんぱく》⇔濃厚《のうこう》
3 紛争《ふんそう》⇔和合《わごう》
4 鈍重《どんじゅう》⇔鋭敏《えいびん》
5 寡黙《かもく》⇔多弁《たべん》

6 蛍雪《けいせつ》＝苦学《くがく》
7 親類《しんるい》＝縁者《えんじゃ》
8 哀訴《あいそ》＝嘆願《たんがん》
9 倫理《りんり》＝道徳《どうとく》
10 対等《たいとう》＝互角《ごかく》

6「蛍雪《けいせつ》」は貧困に耐えて勉学に励むこと。

8「歎願」は常用漢字表にない漢字なので×。

(六) 同音・同訓異字

各2点 計20点

グレーの部分は解答の補足です

1 尚《しょう》（早《そう》）
2 抄《しょう》（訳《やく》）
3 潜《せん》（在《ざい》）
4 旋《せん》（律《りつ》）
5 謙《けん》（譲《じょう》）
6 顕《けん》（著《ちょ》）

7 （洗《せん》）浄《じょう》
8 剰《じょう》（余金《よきん》）
9 研と（ぎ）
10 遂と（げた）

5「謙譲《けんじょう》」は相手に対してへりくだり、譲ること。

(七) 誤字訂正

各2点 計10点

グレーの部分は誤字・正字を含む問題の補足です

〔誤〕→〔正〕

1 面目訳如 → 面目躍如
2 万遊 → 漫遊
3 目殺 → 黙殺
4 悠大 → 雄大
5 盲火 → 猛火

(八) 漢字と送りがな

各2点 計10点

1 背《そむ》ける
2 頂《いただ》く
3 珍《めずら》しい
4 施《ほどこ》す
5 併《あわ》せて

(九) 書き取り

各2点 計50点

グレーの部分は解答の補足です

1 釣果《ちょうか》
2 曇天《どんてん》
3 拍子《ひょうし》
4 卓球《たっきゅう》
5 措置《そち》
6 滞在《たいざい》
7 託児所《たくじしょ》
8 疎通《そつう》
9 謁見《えっけん》

10 寛大《かんだい》
11 水槽《すいそう》
12 塀《へい》
13 均衡《きんこう》
14 昆虫《こんちゅう》
15 発端《ほったん》
16 兆《きざ》（し）
17 堀《ほり》
18 迫《せま》（った）

19 探《さぐ》（り）
20 時雨《しぐれ》
21 桑畑《くわばたけ》
22 凸凹《でこぼこ》
23 醜《みにく》（い）
24 削《けず》（って）
25 腰《こし》

2「曇天《どんてん》」はくもり空のこと。

5「措置《そち》」は情況に応じてうまくとりはからい、片づけること。処置。

8「疎通《そつう》」は相手の考えが通じること。

9「謁見《えっけん》」は身分の高い人、または目上の人に会うこと。

10「寛大《かんだい》」は度量が大きく思いやりがあること。また、そのさま。

13「均衡《きんこう》」は釣り合いが取れていること。平均。平衡。

15「発端《ほったん》」は物事のはじまり。物事のおこり。

20「時雨《しぐれ》」は熟字訓。初冬のころに、急にぱらぱらと降ってはやむにわか雨。「じう」と読むと、ちょうどよいときに降る雨のこと。

22「凸凹《でこぼこ》」は熟字訓。「凹凸」と書くと「おうとつ」と読む。

第10回テスト 解答・解説

問題は本冊 P64~69

(一) 読み

各1点 計30点

グレーの部分は解答の補足です

1 しゅさい
2 じぎ
3 せいは
4 せんりゅう
5 けんえき
6 げんしゅく
7 ひんぱつ
8 ちょうぼう
9 いっかつ
10 しんし
11 ついとう
12 こうしょう
13 けっせん
14 ばんしゃく
15 こうてい

16 すいそう
17 かいぎ
18 もうてん
19 いちぐう
20 きょうりりゅう
21 くつ
22 いや
23 つつし(んで)
24 は
25 とびら
26 とむら(い)
27 か(う)
28 たんもの
29 そむ(く)
30 びより

2「時宜《じぎ》」は遅すぎも早すぎもしない、ちょうどよいころあい。

28「反物《たんもの》」は和服用の生地のこと。

30「小春《こはる》」は陰暦十月の異称。「小春日和《こはるびより》」はそのころのような暖かくて晴れた天気。

(二) 部首

各1点 計10点

グレーの部分は部首の名前です

1 一(いち)
2 戸(とだれ とかんむり)
3 十(じゅう)
4 血(ち)
5 里(さと)
6 弓(ゆみ)
7 ⺌(しょう)
8 立(たつ)
9 辰(しんのたつ)
10 行(ぎょうがまえ ゆきがまえ)

(三) 熟語の構成

各2点 計20点

1 ウ
2 オ
3 ウ
4 ア
5 イ
6 ウ
7 エ
8 ア
9 エ
10 イ

酷似《こくじ》 酷(きわめて)➡似(る)
未婚《みこん》 未(否定)+婚。「まだ結婚していない」
直轄《ちょっかつ》 直(直接)➡轄(取り締まる)
肢体《したい》 どちらも「身体」の意。「肢」は手足。
添削《てんさく》 (文字を)添(加えること)⬍削(ること)
媒体《ばいたい》 媒(仲立ちとなる)➡体(物・手段)
遭難《そうなん》 遭(う)⬆難(困難な状態に)
遮断《しゃだん》 どちらも「さえぎる、たちきる」の意。
納涼《のうりょう》 納(受け入れる)⬆涼(しさを)
抑揚《よくよう》 (調子などを)抑(下げる)⬍揚(上げる)

(四) 四字熟語

グレーの部分は解答の補足です

問1 各2点/計20点

1 東奔《とうほん》西《せい》走《そう》
2 内《ない》柔《じゅう》外剛《がいごう》
3 多岐《たき》亡《ぼう》羊《よう》
4 千客《せんきゃく》万《ばん》来《らい》
5 尋《じん》常一様《じょういちよう》
6 先憂後《せんゆうこう》楽《らく》
7 千《せん》載《ざい》一遇《いちぐう》
8 普《ふ》遍妥当《へんだとう》
9 信賞必《しんしょうひつ》罰《ばつ》
10 生殺《せいさつ》与《よ》奪《だつ》

問2 各2点/計10点

11 ク
12 ウ
13 ア
14 キ
15 イ

あっちこっち忙しく走り回って尽力すること。

意志、精神力は弱いが外見はいかにも強そうに見えること。

枝道が多くて逃げた羊を見失うように、方針が多すぎて選択に迷うたとえ。

大勢の客がひっきりなしにやってくること。

ごくあたりまえのこと。とおりいっぺん。

先に心配事・苦痛に思うことをかたづけ、楽しみは後回しにすること。

二度とない絶好のチャンス。千年に一度出会えるぐらいのチャンス。

どんな場合にも真理として承認されること。

功労のある者には必ず賞を与え、罪を犯した者は必ず罰すること。

生かすも殺すも、奪うも与えるも、思いのままであること。絶対的権力。

(五) 対義語・類義語

各2点 計20点

グレーの部分は問題の熟語です

1 粗《そ》大《だい》⇕細《さい》密《みつ》
2 軽《けい》率《そつ》⇕慎《しん》重《ちょう》
3 模《も》倣《ほう》⇕創《そう》造《ぞう》
4 逸《いつ》材《ざい》⇕凡《ぼん》才《さい》
5 廃《はい》止《し》⇕存《そん》置《ち》

6 傑《けっ》出《しゅつ》＝抜《ばつ》群《ぐん》
7 歴《れき》然《ぜん》＝明《めい》白《はく》
8 官《かん》吏《り》＝役《やく》人《にん》
9 遺《い》憾《かん》＝残《ざん》念《ねん》
10 弁《べん》解《かい》＝釈《しゃく》明《めい》

4「逸材《いつざい》」は優れた才能や、それをもつ人物のこと。

6「傑出《けっしゅつ》」は多くの中で飛びぬけてすぐれていること。

(六) 同音・同訓異字

各2点 計20点

グレーの部分は解答の補足です

1 醸《じょう》（成《せい》）
2 （二《に》）錠《じょう》
3 審《しん》（判《ぱん》）
4 （妊《にん》）娠《しん》
5 （総《そう》）帥《すい》
6 酔《すい》（客《きゃく》）

7 （急《きゅう》）逝《せい》
8 （宣《せん》）誓《せい》
9 身《み》
10 診《み》（る）

1「醸成《じょうせい》」は、ここでは機運をつくりだすこと。

5「総帥《そうすい》」は総大将。

(七) 誤字訂正

各2点 計10点

グレーの部分は誤字・正字を含む問題の補足です

〔誤〕→〔正〕

1 放れ → 離れ
2 依来 → 依頼
3 貢権 → 貢献
4 陰歴 → 陰暦
5 栄余礼 → 栄誉礼

(八) 漢字と送りがな

各2点 計10点

1 鮮《あざ》やかな
2 必《かなら》ず
3 費《つい》やし
4 紛《まぎ》れる
5 抱《かか》える

(九) 書き取り

各2点 計50点

グレーの部分は解答の補足です

1 更《こう》迭《てつ》
2 過《か》剰《じょう》
3 惨《ざん》敗《ぱい》
4 教《きょう》壇《だん》
5 彫《ちょう》刻《こく》
6 陳《ちん》列《れつ》
7 匿《とく》名《めい》
8 締《てい》結《けつ》
9 男《だん》爵《しゃく》

10 重《じゅう》曹《そう》
11 発《はっ》祥《しょう》
12 猶《ゆう》予《よ》
13 醜《しゅう》態《たい》
14 洪《こう》水《ずい》
15 迅《じん》速《そく》
16 浜《はま》
17 描《えが》（く）
18 被《こうむ》（る）

19 装《よそお》（う）
20 溝《みぞ》
21 唇《くちびる》
22 緩《ゆる》（む）
23 魂《たましい》
24 癒《い》（える）
25 薪《たきぎ》

1「更迭《こうてつ》」は重要な地位にある人物を解任し、別の人物をその地位に任命すること。

7「匿名《とくめい》」は自分の実名を隠して知らせないこと。また、実名を隠してペンネームなどを使うこと。

8「締結《ていけつ》」は条約や協定などを結ぶこと。


11「発祥《はっしょう》」は初めて起こること。

15「迅速《じんそく》」は進行や行動が非常に速いこと。

16「浜風《はまかぜ》」は浜に吹く風。

18「蒙る《こうむ》」は常用漢字表にない漢字なので×。

(一) 読み

各1点 計30点

グレーの部分は解答の補足です

1 えっけん
2 かびん
3 ちょっかつ
4 しゃくい
5 こうはい
6 かっしょく
7 ゆうぜん
8 そしょう
9 はっぽう
10 せんと
11 ぎめい
12 しんりょう
13 ちょうばつ
14 しょうもう
15 じゅく
16 とうじょう
17 おうこう
18 ちくごやく
19 かいそう
20 まんべん
21 えりもと
22 かせ（ぐ）
23 うるし
24 いちりづか
25 すず（しく）
26 はなは（だ）
27 ねこ
28 くら
29 もよ（り）
30 なかす

3「直轄《ちょっかつ》」は上級組織が直接に管轄すること。

4「爵位《しゃくい》」は爵の階級。日本では、明治時代の華族令で定められた公爵《こうしゃく》、侯爵《こうしゃく》、伯爵《はくしゃく》、子爵《ししゃく》、男爵《だんしゃく》の五等制。

20「万遍《まんべん》無く」とも書く。もれなく行きわたるように行うこと。

(二) 部首

各1点 計10点

グレーの部分は部首の名前です

1 土（つち）
2 豕（ぶた　いのこ）
3 ノ（の　はらいぼう）
4 刀（かたな）
5 衣（ころも）
6 二（に）
7 巾（はば）
8 斤（きん）
9 甘（かん　あまい）
10 田（た）

(三) 熟語の構成

各2点 計20点

1 エ
2 ア
3 イ
4 ウ
5 オ
6 ア
7 ア
8 イ
9 ウ
10 エ

上棟《じょうとう》 上（げる）↑棟《むね》（を）
俊秀《しゅんしゅう》 どちらも「すぐれている」の意。
美醜《びしゅう》 美（しい）↕醜《みにく》（い）
蛇行《だこう》 蛇（のようにくねくねと）↓行（く）
無益《むえき》 無（否定）＋益（利益）。無駄なこと。
循環《じゅんかん》 どちらも「めぐる」の意。
渋滞《じゅうたい》 どちらも「とどこおって進まない」の意。
矛盾《むじゅん》 矛《ほこ》↕盾《たて》
銃創《じゅうそう》 銃（による）↓創（傷）
遵法《じゅんぽう》 遵（従う）↑法（に）

(四) 四字熟語

グレーの部分は解答の補足です

問1 各2点／計20点

1 腐《ふ》敗《はい》堕《だ》落《らく》
2 粉《ふん》骨《こつ》砕《さい》身《しん》
3 変《へん》幻《げん》自《じ》在《ざい》
4 怒《ど》髪《はつ》衝《しょう》天《てん》
5 善《ぜん》隣《りん》友《ゆう》好《こう》
6 弊《へい》衣《い》破《は》帽《ぼう》
7 前《ぜん》途《と》有《ゆう》望《ぼう》
8 肝《かん》胆《たん》相《そう》照《しょう》
9 正《しょう》真《しん》正《しょう》銘《めい》
10 複《ふく》雑《ざつ》怪《かい》奇《き》

健全な精神が乱れて、品行が悪くなること。

骨身を惜しまず力の限りを尽くすこと。

出没や変化が自由自在であること。また、そのさま。類語は「千変万化《せんぺんばんか》」。

髪の毛を逆立てるくらいに怒ること。また、その形相。「怒髪天を衝《つ》く」とも読む。

隣国や隣家などに友情を持つこと。外交上、友好関係を結ぶこと。

破れた衣服と穴のあいた帽子。汚らしい格好をしていること。

将来に大いに見込みがあること。類語に「前途有為《ぜんとゆうい》」「前途洋洋《ぜんとようよう》」がある。

互いに心から理解し深くつき合うこと。「肝胆」は肝臓と胆嚢《たんのう》。転じて心のうち。

本当のこと。うそ、偽りがなく、確かに本物であること。

いろいろなことが込み入っていて、全体として怪しく不思議なさま。

問2 各2点／計10点

11 イ
12 カ
13 キ
14 ク
15 ウ

問題は本冊P70~75

(五) 対義語・類義語

各2点 計20点

グレーの部分は問題の熟語です

1 繁雑《はんざつ》⇕簡素《かんそ》
2 喪失《そうしつ》⇕獲得《かくとく》
3 貫徹《かんてつ》⇕中絶《ちゅうぜつ》
4 膨張《ぼうちょう》⇕収縮《しゅうしゅく》
5 善行《ぜんこう》⇕悪事《あくじ》

6 貢献《こうけん》＝寄与《きよ》
7 踏襲《とうしゅう》＝継承《けいしょう》
8 無事《ぶじ》＝息災《そくさい》
9 逸材《いつざい》＝英才《えいさい》
10 屈服《くっぷく》＝投降《とうこう》

7「踏襲《とうしゅう》」は先人のやり方や説などをそのまま受け継ぐこと。

(六) 同音・同訓異字

各2点 計20点

グレーの部分は解答の補足です

1 窃《せつ》（盗犯《とうはん》）
2 拙《せつ》（宅《たく》）
3 （発《はっ》）祥《しょう》
4 （炎《えん》）症《しょう》
5 繊《せん》（細《さい》）
6 （推《すい》）薦《せん》

7 捜《そう》（査《さ》）
8 （法《ほう》）曹《そう》（界《かい》）
9 殊《こと》（に）
10 琴《こと》

3「祥《しょう》」は（めでたいことの）きざし。「発祥《はっしょう》」は物事の起こりはじめ。

(七) 誤字訂正

各2点 計10点

グレーの部分は誤字・正字を含む問題の補足です

	〔誤〕		〔正〕
1	観喜	↓	歓喜
2	委持	↓	維持
3	無援	↓	無縁
4	順回	↓	巡回
5	異業	↓	偉業

(八) 漢字と送りがな

各2点 計10点

1 忙《いそが》しい
2 黙《だま》り
3 躍《おど》る
4 授《さず》かる
5 陥《おちい》る

(九) 書き取り

各2点 計50点

グレーの部分は解答の補足です

1 素朴《そぼく》
2 塁審《るいしん》
3 金融《きんゆう》
4 陶芸《とうげい》
5 野蛮《やばん》
6 石碑《せきひ》
7 疾患《しっかん》
8 遮断《しゃだん》
9 誘拐《ゆうかい》

10 監督《かんとく》
11 秩序《ちつじょ》
12 享受《きょうじゅ》
13 闘病《とうびょう》
14 郊外《こうがい》
15 喫煙《きつえん》
16 憤《いきどお》（る）
17 洞穴《ほらあな》
18 抱《いだ》（かれた）

19 費《つい》（やす）
20 意気地《いくじ》
21 鍛《きた》（えて）
22 苗木《なえぎ》
23 褒《ほ》（め）
24 日和《びより》
25 雌《めす》

2「塁審《るいしん》」は野球の一塁、二塁、三塁のそばで判定を行う審判のこと。本塁で判定を行う審判は「球審《きゅうしん》」と呼ぶ。

7「疾患《しっかん》」は病気。

12「享受《きょうじゅ》」は自分のものとして楽しむこと。

17「洞穴《ほらあな》」は「どうけつ」とも読む。

20「意気地《いくじ》」は熟字訓。

24「日和《ひより》」は熟字訓。意味は空模様のこと。また、何かをするのに都合のよい天候。「小春《こはる》日和」は小春（初冬）のころの穏やかな気候。

問題は本冊
P76~81

(一) 読み

グレーの部分は解答の補足です

各1点 計30点

1 しんじゅ
2 やっかい
3 しゅくん
4 ふよう
5 じんそく
6 ちょくし
7 もぎ
8 だきょう
9 けんえん
10 すいせん
11 さいばい
12 ふうとう
13 しゅんさい
14 ちかけい
15 りゅうさん
16 しょうせき
17 ふぞく
18 しょさい
19 こうずい
20 ちょうそ
21 か
22 さえぎ(る)
23 す(える)
24 すみ
25 いど(む)
26 わ(いた)
27 は(く)
28 あらわ(す)
29 しらが
30 たび

6「勅使《ちょくし》」は天皇の命令を伝える使いの者。
9「犬猿《けんえん》の仲」はとても仲が悪い者のこと。
20「彫塑《ちょうそ》」は彫刻のこと。また、塑像(粘土などでつくられた像)をつくること。
29「白髪《しらが》」は熟字訓。「はくはつ」とも読む。
30「足袋《たび》」は熟字訓。

(二) 部首

グレーの部分は部首の名前です

各1点 計10点

1 曰(ひらび いわく)
2 田(た)
3 口(くち)
4 目(め)
5 手(て)
6 十(じゅう)
7 士(さむらい)
8 髟(かみがしら)
9 曰(ひらび いわく)
10 卜(と うらない)

(三) 熟語の構成

各2点 計20点

1 ウ
2 エ
3 イ
4 ア
5 ア
6 エ
7 オ
8 ウ
9 ア
10 ウ

庶務《しょむ》 庶(もろもろの)➡務(事務)
奨学《しょうがく》 奨(励する)⬅学(勉学を)
昇降《しょうこう》 昇(る)⬍降(りる)
湖沼《こしょう》 どちらも「くぼ地にできた水域」の意。
端緒《たんしょ》 どちらも「いとぐち」の意。「たんちょ」は慣用読み。
叙景《じょけい》 叙(表現する)⬅景(風景を)
未明《みめい》 未(否定)+明(るい)。「まだ明るくない」。
卵殻《らんかく》 卵(の)➡殻
余剰《よじょう》 どちらも「余っている」の意。
偏見《へんけん》 偏(った)➡見(考え・見解)

(四) 四字熟語

グレーの部分は解答の補足です

問1 各2点/計20点

1 文《ぶん》人《じん》墨《ぼっ》客《かく》
2 才《さい》色《しょく》兼《けん》備《び》
3 夫《ふ》唱《しょう》婦《ふ》随《ずい》
4 多《た》事《じ》多《た》難《なん》
5 綱《こう》紀《き》粛《しゅく》正《せい》
6 率《そっ》先《せん》垂《すい》範《はん》
7 複《ふく》雑《ざつ》多《た》岐《き》
8 忙《ぼう》中《ちゅう》有《ゆう》閑《かん》
9 免《めん》許《きょ》皆《かい》伝《でん》
10 熟《じゅく》慮《りょ》断《だん》行《こう》

詩文、書画にたけ、風雅、風流を求める人。「墨客《ぼっかく》」は「ぼっきゃく」とも読む。

すぐれた才知と美貌《ぼう》を兼ね備えている女性。「色」は容貌《ぼう》のこと。

夫の意見に妻が従うこと。夫婦の仲がとてもよいこと。

事件が多く、困難なことが多いこと。

国の規律を引き締め、政治の不正を除くこと。また、規制を厳しく正すこと。

先頭に立って積極的に行動し模範を示すこと。

多くのことが込み入って多方面にわたるさま。類語に「複雑多様《ふくざつたよう》」がある。

忙しい時間のうちにもほっと息をつく暇はあるものだということ。

武術や芸道で、師が弟子にその道の奥義を残らず伝え、修了を認めること。

じっくり考えた上で思い切って実行すること。

問2 各2点/計10点

11 イ
12 カ
13 コ
14 ア
15 オ

(五) 対義語・類義語

各2点 計20点

グレーの部分は問題の熟語です

1 冷涼《れいりょう》⇕温暖《おんだん》
2 諮問《しもん》⇕答申《とうしん》
3 尊大《そんだい》⇕謙虚《けんきょ》
4 霊魂《れいこん》⇕肉体《にくたい》
5 荘重《そうちょう》⇕軽快《けいかい》

6 宰相《さいしょう》＝総理《そうり》
7 措置《そち》＝処理《しょり》
8 本懐《ほんかい》＝念願《ねんがん》
9 悠久《ゆうきゅう》＝永遠《えいえん》
10 周到《しゅうとう》＝入念《にゅうねん》

2「諮問《しもん》」は意見をたずねる、「答申《とうしん》」は意見を申しのべる。

(六) 同音・同訓異字

各2点 計20点

グレーの部分は解答の補足です

1 惰《だ》（性《せい》）
2 堕《だ》（落《らく》）
3 眺《ちょう》（望《ぼう》）
4 弔《ちょう》（電《でん》）
5 俸《ほう》（給《きゅう》）
6 胞《ほう》（子《し》）

7 （魚《ぎょ》）拓《たく》
8 （洗《せん》）濯《たく》
9 懲《こ》（りて）
10 肥《こ》（えて）

1「惰性《だせい》」は習慣化して何となくやめられないさま。
5「俸給《ほうきゅう》」は給料のこと。

(七) 誤字訂正

各2点 計10点

グレーの部分は誤字・正字を含む問題の補足です

〔誤〕→〔正〕

1 稲狩り→稲刈り
2 別情→別状 別条
3 寒顔→汗顔
4 称介→紹介
5 寸過→寸暇

(八) 漢字と送りがな

各2点 計10点

1 扱《あつか》い
2 及《およ》ぼす
3 和《なご》やか
4 滞《とどこお》る
5 廃《すた》れる

(九) 書き取り

各2点 計50点

グレーの部分は解答の補足です

1 栓《せん》抜《ぬ》（き）
2 捜《そう》索《さく》
3 濃《のう》霧《む》
4 機《き》嫌《げん》
5 紛《ふん》失《しつ》
6 漂《ひょう》白《はく》
7 治《ち》癒《ゆ》
8 船《せん》舶《ぱく》
9 報《ほう》酬《しゅう》

10 料《りょう》亭《てい》
11 偵《てい》察《さつ》
12 献《こん》立《だて》
13 楽《がく》譜《ふ》
14 便《べん》宜《ぎ》
15 大《だい》胆《たん》
16 侮《あなど》（って）
17 誉《ほま》（れ）
18 黙《だま》（って）

19 名残《なごり》
20 伴《ともな》（う）
21 縛《しば》（る）
22 覆《おお》（われた）
23 雪崩《なだれ》
24 風邪《かぜ》
25 贈《おく》（る）

2「捜索《そうさく》」は行方の分からない人や物を探すこと。
3「濃霧《のうむ》」は見通しがきかないほど濃く立ちこめた霧のこと。
7「治癒《ちゆ》」は病気やけがなどが治ること。
14「便宜《べんぎ》」は状況に応じた特別なはからい。また、好都合なこと。

19「名残《なごり》」は熟字訓。ある物事が過ぎ去ったあとに、なおそれを思い起こさせる気配や影響が残ること。またその気配や影響。余韻。
23「雪崩《なだれ》」は熟字訓。

(一) 読み

グレーの部分は解答の補足です

各1点 計30点

1 じゅきょう
2 あきかん
3 ひじゅん
4 こんこん
5 けいこく
6 ほりょ
7 おう
8 ふんきゅう
9 さんいつ
10 こうけん
11 けしょう
12 かいぼう
13 せんい
14 ばいたい
15 とうすい
16 だらく
17 ゆかい
18 ねんぽう
19 ちん
20 しょうそう
21 かお(る)
22 た(えない)
23 あわ(せて)
24 もど(す)
25 へび
26 すぎ
27 かきね
28 そこ(なう)
29 うでずもう
30 すけだち

4「懇懇《こんこん》と」は心をこめて繰り返し説くこと。
9「散逸《さんいつ》」はまとまっていた書物や資料がバラバラになってしまうこと。
14「媒体《ばいたい》」は情報伝達の仲立ちとなるもの。
29「相撲《すもう》」、30「太刀《たち》」はともに熟字訓。

(二) 部首

グレーの部分は部首の名前です

各1点 計10点

1 大(だい)
2 大(だい)
3 氺(したみず)
4 木(き)
5 玄(げん)
6 衣(ころも)
7 弓(ゆみ)
8 丶(てん)
9 缶(ほとぎ)
10 至(いたる)

(三) 熟語の構成

各2点 計20点

1 イ
2 オ
3 ア
4 エ
5 ア
6 ア
7 ウ
8 エ
9 ウ
10 イ

存廃《そんぱい》 存(残すこと)↕廃(やめること)
無縁《むえん》 無(否定)+縁。関係がないこと。
土壌《どじょう》 どちらも「土・土地」の意。
殺菌《さっきん》 殺(す)↑菌(を)
逝去《せいきょ》 どちらも「立ち去る」の意。亡くなること。
迅速《じんそく》 どちらも「はやい」の意。
覇者《はしゃ》 覇(武力で天下を治める)↓者
昇天《しょうてん》 昇(昇る)↑天(天高く)
素描《そびょう》 (鉛筆などの)素(簡単な)↓描(デッサン)
伸縮《しんしゅく》 伸(びる)↕縮(む)

(四) 四字熟語

グレーの部分は解答の補足です

問1 各2点/計20点

1 二《に》人《にん》三《さん》**脚**《きゃく》
2 **勧**《かん》善《ぜん》懲《ちょう》悪《あく》
3 **順**《じゅん》風《ぷう》満《まん》帆《ぱん》
4 和《わ》洋《よう》**折**《せっ》衷《ちゅう》
5 中《ちゅう》途《と》半《はん》**端**《ぱ》
6 同《どう》**床**《しょう》異《い》夢《む》
7 **片**《へん》言《げん》隻《せき》句《く》
8 **奮**《ふん》励《れい》努《ど》力《りょく》
9 美《び》人《じん》**薄**《はく》命《めい》
10 唯《ゆい》**我**《が》独《どく》尊《そん》

問2 各2点/計10点

11 ウ
12 エ
13 ケ
14 ク
15 カ

二人が隣り合う足首をしばって走る競技から、二人が協力して物事を行うこと。
善行を勧め励まし、悪事を懲《こ》らしめること。略して「勧懲《かんちょう》」という。
帆に追い風を一杯に受けて船が快調に進むことから、物事が順調に進むこと。
日本と西洋のそれぞれの様式や特徴を一つに調和させていること。
物事が完了していないこと。態度などが徹底せず、どっちつかずなさま。
状況や行動を共にしていても、目標や考え方が異なっているさま。
わずかな言葉。ちょっとした短い言葉。類語は「一言半句《いちごんはんく》」「片言隻語《へんげんせきご》」。
目標を立てて一心にことに当たること。
美しい女性は、とかく不運で短命であるということ。
宇宙の中で自分ほど尊い者はいないという意。自分は偉いとうぬぼれること。

(五) 対義語・類義語

各2点 計20点

グレーの部分は問題の熟語です

1 虚偽《きょぎ》⇕真実《しんじつ》
2 防衛《ぼうえい》⇕攻撃《こうげき》
3 干渉《かんしょう》⇕放任《ほうにん》
4 撤去《てっきょ》⇕設置《せっち》
5 浮華《ふか》⇕質実《しつじつ》

6 四肢《しし》＝手足《てあし》
7 嘱望《しょくぼう》＝期待《きたい》
8 根拠《こんきょ》＝理由《りゆう》
9 忍耐《にんたい》＝我慢《がまん》
10 貯蔵《ちょぞう》＝備蓄《びちく》

5「浮華《ふか》」はうわべがはなやかで内容がないこと。

7「嘱望《しょくぼう》」は人の将来に望みや期待をかけること。

(六) 同音・同訓異字

各2点 計20点

グレーの部分は解答の補足です

1 （露《ろ》）呈《てい》
2 艇《てい》（庫《こ》）
3 陪《ばい》（乗《じょう》）
4 培《ばい》（養《よう》）
5 （先《せん》）哲《てつ》
6 （更《こう》）迭《てつ》

7 （追《つい》）悼《とう》
8 （沸《ふっ》）騰《とう》
9 詰っ（め）
10 漬っ（け）

3「陪乗《ばいじょう》」は身分の高い人が乗る車に供として同乗すること。

(七) 誤字訂正

各2点 計10点

グレーの部分は誤字・正字を含む問題の補足です

〔誤〕 〔正〕

1 点加物 → 添加物
2 遊技 → 遊戯
3 狂器 → 凶器
4 波久 → 波及
5 喚呼 → 歓呼

(八) 漢字と送りがな

各2点 計10点

1 朗《ほが》らか
2 壊《こわ》れる
3 戒《いまし》め
4 貫《つらぬ》く
5 欺《あざむ》く

(九) 書き取り

各2点 計50点

グレーの部分は解答の補足です

1 奔走《ほんそう》
2 羅列《られつ》
3 秀麗《しゅうれい》
4 生涯《しょうがい》
5 無謀《むぼう》
6 魅力《みりょく》
7 幽閉《ゆうへい》
8 禅宗《ぜんしゅう》
9 暗礁《あんしょう》

10 崇高《すうこう》
11 均衡《きんこう》
12 酪農《らくのう》
13 送還《そうかん》
14 疎外《そがい》
15 独占《どくせん》
16 柳《やなぎ》
17 粒《つぶ》
18 暦《こよみ》

19 縁《ふち》
20 小豆《あずき》
21 又《また》
22 傘《かさ》
23 据《す》（えて）
24 惑《まど》（わされる）
25 沖《おき》

2「羅列《られつ》」は連ねて並べること
3「秀麗《しゅうれい》」は他のものよりさらに整っていて美しいこと。また、そのさま。

8「禅宗《ぜんしゅう》」は仏教の宗派の一つ。

9「暗礁《あんしょう》」は海面よりも下に隠れていて見えない岩。「暗礁に乗り上げる」は、思わぬ障害にぶつかって物事がうまく進行しなくなる意に使う。

10「崇高《すうこう》」は気高く貴いさま。

20「小豆《あずき》」は熟字訓。

23「腰《こし》を据《す》える」はその場に座って落ち着くこと。ここでは、落ち着いて一つのことに取り組むこと。

(一) 読み

各1点 計30点

グレーの部分は解答の補足です

1 しょうつき
2 こうとう
3 とうせき
4 しゅうじん
5 けっかん
6 きょうゆ
7 しんてい
8 はくちゅう
9 じゅんしょく
10 けいこう
11 しょうしょ
12 ひんきゅう
13 じゅくすい
14 ぼうせき
15 だせい
16 けいふ
17 けんさく
18 そっこう
19 ろうおう
20 りょうふう すずかぜ
21 から
22 みにく（い）
23 つぼ
24 すず
25 かたよ（らない）
26 はぐき
27 うね
28 おおうなばら
29 きわ（める）
30 おかしら

1「祥月《しょうつき》」は故人の亡くなった月と同じ月。
8「伯《はく》」は兄弟の順序で一番上、「仲《ちゅう》」は二番目。「伯仲《はくちゅう》」は優劣の差がないこと。
11「詔書《しょうしょ》」は天皇が発する公文書のこと。
27「畝編《うねあ》み」は、かぎ針編みの技法の一つ。仕上がりがでこぼこした感じになる。

(二) 部首

各1点 計10点

グレーの部分は部首の名前です

1 弋（しきがまえ）
2 十（じゅう）
3 口（くち）
4 儿（ひとあし にんにょう）
5 貝（かい こがい）
6 弓（ゆみ）
7 木（き）
8 凵（うけばこ）
9 酉（とりへん）
10 馬（うま）

(三) 熟語の構成

各2点 計20点

1 エ
2 ア
3 イ
4 ウ
5 イ
6 エ
7 オ
8 ア
9 ウ
10 ア

遷都《せんと》 遷（移す）⬆都（を）
推薦《すいせん》 どちらも「すすめる」の意。
疎密《そみつ》 （密度が）疎（あらい）⬍密（細かい）
禅僧《ぜんそう》 禅（禅宗の）⬇僧
添削《てんさく》 （文字を）添（加えること）⬍削（ること）
盗塁《とうるい》 盗（む）⬆塁（を）
未到《みとう》 未（否定）＋到（至る）
捜索《そうさく》 どちらも「さがしもとめる」の意。
漸進《ぜんしん》 漸（少しずつ）⬇進（む）
繊細《せんさい》 どちらも「ほそい、こまかい」の意。

(四) 四字熟語

グレーの部分は解答の補足です

問1 各2点／計20点

1 **諸**《しょ》行《ぎょう》無《む》常《じょう》
2 粉《ふん》**飾**《しょく》決《けっ》算《さん》
3 **放**《ほう》胆《たん》小《しょう》心《しん》
4 悠《ゆう》悠《ゆう》自《じ》**適**《てき》
5 紳《しん》**士**《し》淑《しゅく》女《じょ》
6 **極**《ごく》楽《らく》往《おう》生《じょう》
7 夜《や》**郎**《ろう》自《じ》大《だい》
8 冷《れい》**汗**《かん》三《さん》斗《と》
9 不《ふ》**即**《そく》不《ふ》離《り》
10 明《めい》哲《てつ》**保**《ほ》身《しん》

1 すべての物事は変化し、はかないものであること。
2 会社の経営内容を実際よりもよく見せるために、決算の数字をごまかすこと。
3 文章は初めは大胆に、熟練後は細心の注意を払って書くのがよい。またその二つの文体。
4 あくせくせずゆったりとして、気の向くままに穏やかに生活すること。
5 品格があって、礼儀正しい男性と女性。
6 この世を去って、極楽浄土《じょうど》に生まれ変わること。
7 凡俗の中にいていばっている世間知らず。身のほど知らず。
8 ひどく怖い思いをしたり、人前で恥じ入ったりするさまの形容。
9 つかず離れずの関係を保つこと。
10 知恵がすぐれて道理によく通じ、物事をうまく処理して安全に身を保つこと。

問2 各2点／計10点

11 ク
12 エ
13 キ
14 ア
15 ケ

問題は本冊 P88～93

（五） 対義語・類義語

各2点 計20点

グレーの部分は問題の熟語です

1 高尚《こうしょう》⇔低劣《ていれつ》
2 反抗《はんこう》⇔服従《ふくじゅう》
3 緩慢《かんまん》⇔敏速《びんそく》
4 冗長《じょうちょう》⇔簡潔《かんけつ》
5 陪臣《ばいしん》⇔直参《じきさん》
6 首肯《しゅこう》＝納得《なっとく》
7 布教《ふきょう》＝伝道《でんどう》
8 体裁《ていさい》＝外聞《がいぶん》
9 不審《ふしん》＝疑惑《ぎわく》
10 地味《じみ》＝質素《しっそ》

5「陪臣《ばいしん》」は家来の家来。「直参《じきさん》」は主人につかえる家来。江戸幕府直属の一万石以下の武士。

（六） 同音・同訓異字

各2点 計20点

グレーの部分は解答の補足です

1 (奇《き》)跡《せき》
2 惜《せき》(別《べつ》)
3 (連《れん》)覇《ぱ》
4 (看《かん》)破《ぱ》
5 偵《てい》(察機《さつき》)
6 逓《てい》(増《ぞう》)
7 頒《はん》(布《ぷ》)
8 (同《どう》)伴《はん》
9 乾《かわ》(く)
10 渇《かわ》(いた)

9「(ぬれたものが)乾《かわ》く」、10「(のどが)渇《かわ》く」の使い分けはよく出題される。

（七） 誤字訂正

各2点 計10点

グレーの部分は誤字・正字を含む問題の補足です

	〔誤〕		〔正〕
1	捕欠	→	補欠
2	経承	→	継承
3	強妻家	→	恐妻家
4	退掘	→	退屈
5	峡心症	→	狭心症

（八） 漢字と送りがな

各2点 計10点

1 甘《あま》やかす
2 頼《たの》もしい
3 損《そこ》ねる
4 偽《いつわ》っ
5 慌《あわ》て

（九） 書き取り

各2点 計50点

グレーの部分は解答の補足です

1 閑散《かんさん》
2 拒絶《きょぜつ》
3 握手《あくしゅ》
4 濫用《らんよう》 乱用《らんよう》
5 狩猟《しゅりょう》
6 免疫《めんえき》
7 窃盗《せっとう》
8 憤慨《ふんがい》
9 朕《ちん》
10 消耗《しょうもう》
11 貢献《こうけん》
12 懸命《けんめい》
13 十把《じっぱ》
14 妥当《だとう》
15 巧妙《こうみょう》
16 扱《あつか》(う)
17 影《かげ》
18 煙《けむ》(る)
19 朗《ほが》(らか)
20 乳母《うば》
21 風邪《かぜ》
22 為替《かわせ》
23 挿絵《さしえ》
24 大筋《おおすじ》
25 既《すで》(に)

4「濫用《らんよう》」はみだりに用いること。「乱用」でもよい。

9「朕《ちん》」は天子の自称。

10「消耗《しょうもう》」は使って減らすこと。また、使ってなくすこと。「しょうこう」の慣用読み。

13「十把《じっぱ》一絡《ひとから》げ」は、いろいろな種類のものを、雑多なままひとまとめにして扱うこと。また、一つひとつ取り上げるほどではないものとして、まとめて扱うこと。

15「巧妙《こうみょう》」は物事のやり方などが非常に巧みであること。また、そのさま。

問題は本冊P94~99

(一) 読み

各1点 計30点

グレーの部分は解答の補足です

1 じゅんかん
2 どうりょう
3 きんこう
4 ほうてい
5 かこん
6 さくさん
7 しょうがくきん
8 かいゆ
9 おうとつ
10 けっさく
11 ぶじょく
12 せいしょう
13 だがし
14 しっかん
15 どうさつ
16 せんぱく
17 たいと
18 とうぜん
19 そぼく
20 けいが
21 ほのお
22 ほたる
23 うらかぜ
24 なが(め)
25 ちか(い)
26 すみ(やか)
27 しる
28 やなぎ
29 しない
30 いなか

8「快癒《かいゆ》」は病気やけがよくなって治ること。
17「泰斗《たいと》」は、ある世界や分野における第一人者。権威となる者。
18「東漸《とうぜん》」は勢力が次第に東の方へ伝わり広がること。
29「竹刀《しない》」、30「田舎《いなか》」はともに熟字訓。

(二) 部首

各1点 計10点

グレーの部分は部首の名前です

1 屮(てつ)
2 心(こころ)
3 干(かん いちじゅう)
4 舌(した)
5 覀(おおいかんむり)
6 士(さむらい)
7 ⺗(したごころ)
8 羊(ひつじ)
9 戸(とだれ とかんむり)
10 大(だい)

(三) 熟語の構成

各2点 計20点

1 エ
2 ウ
3 エ
4 ア
5 イ
6 オ
7 イ
8 ア
9 ウ
10 ア

挑戦《ちょうせん》 挑(む)↑戦(いを)
孤立《こりつ》 孤(一人で)↓立(つ)
配慮《はいりょ》 配(る)↑慮(心を)
堕落《だらく》 どちらも「おちる」の意。
愛憎《あいぞう》 愛↕憎(しみ)
未刊《みかん》 未(否定)+刊(刊行)
去就《きょしゅう》 去(る)↕(任務などに)就(く)
珠玉《しゅぎょく》 どちらも「たま」の意。
駄作《ださく》 駄(つまらない)↓作(作品)
洗濯《せんたく》 どちらも「あらう」の意。

(四) 四字熟語

グレーの部分は解答の補足です

問1 各2点/計20点

1 面《めん》目《もく》躍《やく》如《じょ》
2 傍《ぼう》若《じゃく》無《ぶ》人《じん》
3 炉《ろ》辺《へん》談《だん》話《わ》
4 滅《めっ》私《し》奉《ほう》公《こう》
5 閑《かん》話《わ》休《きゅう》題《だい》
6 用《よう》意《い》周《しゅう》到《とう》
7 勇《ゆう》猛《もう》果《か》敢《かん》
8 残《ざん》酷《こく》非《ひ》道《どう》
9 優《ゆう》柔《じゅう》不《ふ》断《だん》
10 時《じ》期《き》尚《しょう》早《そう》

名誉や社会的評価などが高くなるさま。「面目」は「めんぼく」とも読む。
周囲に人がいないかのように、身勝手に振る舞うさま。「旁若」は常用漢字外。
いろりのそばで、くつろいでするよもやま話。
私心を捨てて公のために尽くすこと。「めっしぼうこう」とも読む。
それはさておき。「閑話」は「間話」とも書き、無駄話。「休題」は話をやめる意。
用意が十分に整って手抜かりのないこと。
勇ましくて決断力が強く、屈しないこと。類語に「進取果敢《しんしゅかかん》」がある。
道理や人の道にそむき、むごたらしいこと。類語に「悪逆無道《あくぎゃくむどう》」がある。
決断力に欠け、いつまでもぐずぐずしていること。類語に「意志薄弱《いしはくじゃく》」がある。
行動を起こす時期としては、まだ早すぎるということ。

問2 各2点/計10点

11 ア
12 キ
13 オ
14 エ
15 ケ

(五) 対義語・類義語

各2点 計20点

グレーの部分は問題の熟語です

1 購入《こうにゅう》⇔販売《はんばい》
2 雌伏《しふく》⇔雄飛《ゆうひ》
3 隆起《りゅうき》⇔沈降《ちんこう》
4 卑下《ひげ》⇔自慢《じまん》
5 概略《がいりゃく》⇔詳細《しょうさい》

6 俊英《しゅんえい》＝優秀《ゆうしゅう》
7 悠長《ゆうちょう》＝気長《きなが》
8 旅費《りょひ》＝路銀《ろぎん》
9 精髄《せいずい》＝本質《ほんしつ》
10 奔走《ほんそう》＝尽力《じんりょく》

4「卑下《ひげ》」は自分をほかより劣るものとして扱うこと。

9「精髄《せいずい》」は物事の中で最もすぐれた重要なところ。

(六) 同音・同訓異字

各2点 計20点

グレーの部分は解答の補足です

1 （清《せい》）貧《ひん》
2 賓《ひん》（客《きゃく》）

3 （五線《ごせん》）譜《ふ》
4 扶《ふ》（助《じょ》）

5 丙《へい》
6 （貨《か》）幣《へい》

7 （含《がん》）蓄《ちく》
8 （角《かく》）逐《ちく》

9 慌《あわ》（ただしく）
10 泡《あわ》

8「角」に「争う」の意味がある。「角逐《かくちく》」は互いに相手をけ落とそうとして争うこと。

(七) 誤字訂正

各2点 計10点

グレーの部分は誤字・正字を含む問題の補足です

〔誤〕		〔正〕
1 古淡	→	枯淡
2 粗く	→	荒く
3 原校料	→	原稿料
4 封査	→	封鎖
5 坑生物質	→	抗生物質

(八) 漢字と送りがな

各2点 計10点

1 恐《おそ》ろしい
2 据《す》わっ
3 驚《おどろ》く
4 煩《わずら》わしい
5 結《ゆ》わえる

(九) 書き取り

各2点 計50点

グレーの部分は解答の補足です

1 寡黙《かもく》
2 吟味《ぎんみ》
3 縫合《ほうごう》
4 没頭《ぼっとう》
5 抽出《ちゅうしゅつ》
6 掌握《しょうあく》
7 累計《るいけい》
8 一抹《いちまつ》
9 逓信《ていしん》

10 徹夜《てつや》
11 診察《しんさつ》
12 裕福《ゆうふく》
13 逸《いっ》（した）
14 形跡《けいせき》
15 魅了《みりょう》
16 竜巻《たつまき》
17 皆《みな》
18 壊《こわ》（れ）

19 滴《しずく》
20 眼《まなこ》
21 息子《むすこ》
22 最寄《もよ》（り）
23 足袋《たび》
24 釣《つ》（り）
25 唇《くちびる》

3「縫合《ほうごう》」は縫い合わせること。とくに外科手術で、外傷などで切断された患部を回復させるために縫い合わせること。

5「抽出《ちゅうしゅつ》」は全体の中、また多くの中から、ある物を抜き出すこと。

6「掌握《しょうあく》」は自分の手に握ることから、物事を自分の思いどおりにすること。

7「累計《るいけい》」は小計(一部の合計)を加えていき、合計を出すこと。また、その合計。

8「一抹《いちまつ》」は絵筆でひとなでする意から、ほんのわずかの意味。「一抹の不安」はわずかに不安を感じること。

矢印方向に引くと別冊の解答・解説が外れます。▶